RETOUR À LA CLARTÉ

LES ROYAUMES OUBLIÉS AU FLEUVE NOIR

La trilogie des Avatars
1. *Valombre*
2. *Tantras*
3. *Eau Profonde*
par Richard Awlinson

La trilogie de l'Elfe Noir
4. *Terre Natale*
5. *Terre d'Exil*
6. *Terre Promise*
par R.A. Salvatore

La trilogie des héros de Phlan
7. *La Fontaine de Lumière*
8. *Les Fontaines de Ténèbres*
9. *La Fontaine de Pénombre*
par James M. Ward, Jane Cooper Hong
et Anne K. Brown

10. *Magefeu*
par Ed Greenwood

La trilogie de la Pierre du Trouveur
11. *Les Liens d'azur*
12. *L'Éperon de Wiverne*
13. *Le Chant des Saurials*
par Jeff Grubb et Kate Novak

14. *La Couronne de feu*
par Ed Greenwood

La trilogie du Val Bise
15. *L'Éclat de Cristal*
16. *Les Torrents d'argent*
17. *Le Joyau du petit homme*
par R.A. Salvatore

La trilogie du Retour aux Sources
18. *Les Revenants du fond du gouffre*
19. *La Nuit éteinte*
20. *Les Compagnons du renouveau*
par R.A. Salvatore

21. *Le Prince des mensonges*
par James Lowder

La pentalogie du Clerc
22. *Cantique*
23. *A l'Ombre des forêts*
24. *Les Masques de la Nuit*
25. *La Forteresse déchue*
26. *Chaos cruel*
par R.A. Salvatore

27. *Elminster, la jeunesse d'un mage*
par Ed Greenwood
La trilogie des Sélénæ
28. *Le Coureur des ténèbres*
29. *Les Sorciers noirs*
30. *La Source obscure*
par Douglas Niles
La trilogie de la Terre des Druides
31. *Le Prophète des Sélénæ*
32. *Le Royaume de Corail*
33. *La Prêtresse devint reine*
par Douglas Niles
La trilogie des Ombres
34. *Les Ombres de l'Apocalypse*
35. *Le Manteau des Ombres*
36. *... Et les Ombres s'enfuirent*
par Ed Greenwood
37. *Vers la lumière*
par R.A. Salvatore
38. *La Fille du sorcier drow*
par Elaine Cunningham
39. *L'Etreinte de l'Araignée*
par Elaine Cunningham
40. *La Mer Assoiffée*
par Troy Denning
41. *L'ombre de l'elfe*
par Elaine Cunningham
42. *Magie Rouge*
par Jean Rabe
43. *Retour à la Clarté*
par R.A. Salvatore
L'Epine Dorsale du Monde
par R.A. Salvatore (Grand Format)
44. *Elminster à Myth Drannor*
par Ed Greenwood
45. *Eternelle Rencontre, le Berceau des Elfes*
par Elaine Cunningham
46. *Les Frères de la Nuit*
par Scott Ciencin
47. *L'Anneau de l'hiver*
par James Lowder
48. *La Crypte du Roi obscur*
par Mark Anthony
49. *Histoires des sept sœurs*
par Ed Greewood

RETOUR À LA CLARTÉ

par

R.A. SALVATORE

Couverture de

TODD LOCKWOOD

FLEUVE NOIR

Titre original :
Silent Blade
Traduit de l'américain par
Michèle Zachayus

Collection dirigée par
Patrice Duvic et Jacques Goimard

Représentation en Europe :
Wizards of the Coast, Belgique, P.B. 34,
2300 Turnhout, Belgique. Tél : 32-14-44-30-44.
Bureau français :
Wizards of the Coast, France, BP 103,
94222 Charenton Cedex, France. Tél : 33-(0)1-43-96-35-65.
Internet : www.tsrinc.com.
America Online : Mot de passe : TSR
Email US : ConSvc@aol.com.

ISBN : 2-265-06888-8
ISSN : 1257-9920

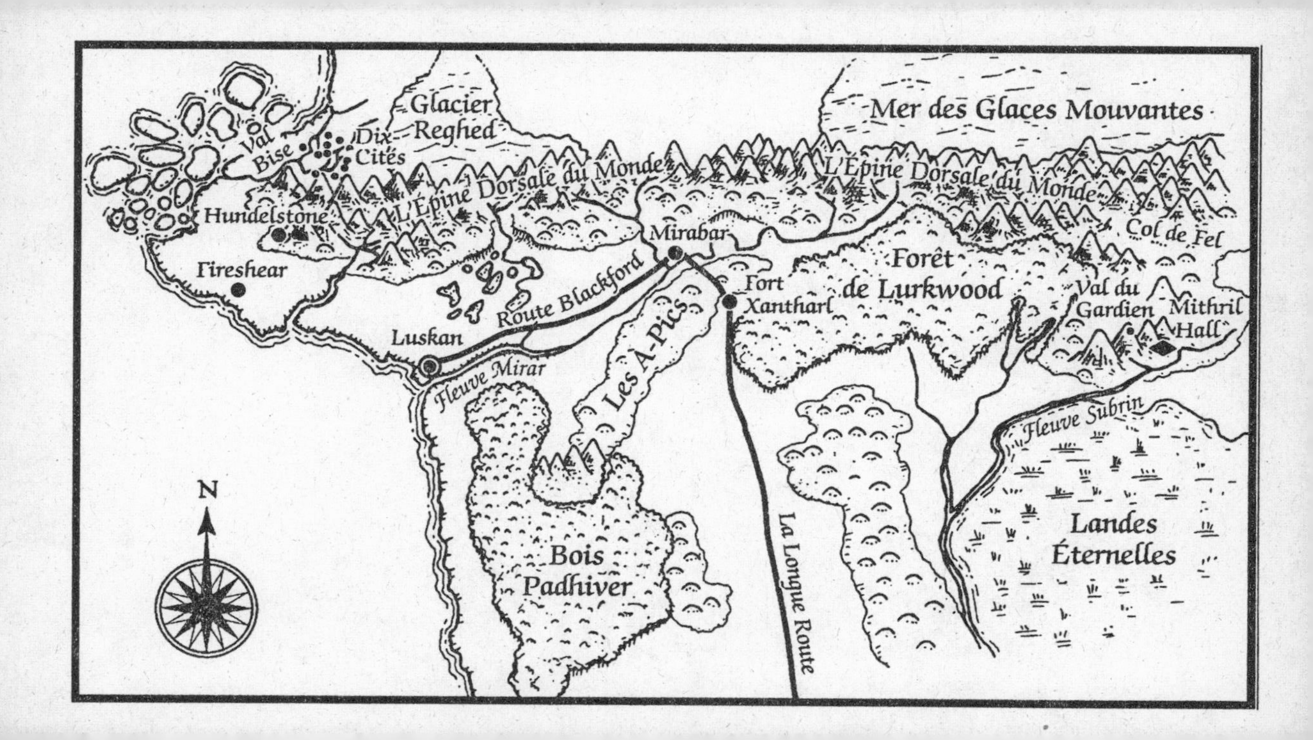
Mer des Glaces Mouvantes
Glacier Reghed
Val Bise
Dix Cités
L'Épine Dorsale du Monde
L'Épine Dorsale du Monde
Hundelstone
Fireshear
Mirabar
Col de Fel
Forêt de Lurkwood
Fort Xantharl
Val du Gardien
Mithril Hall
Route Blackford
Luskan
Fleuve Mirar
Les A-Pics
Bois Padhiver
La Longue Route
Fleuve Subrin
Landes Éternelles
N

PROLOGUE

Allongé sur son lit, Wulfgar repensait aux changements survenus dans sa vie. Arraché au démon Errtu et à sa prison infernale des Abysses, le barbare avait retrouvé ses amis et ses alliés.

Bruenor, son père d'adoption, Drizzt, son mentor drow et son plus cher ami... Ainsi que Régis, le petit homme joufflu qui ronflait tout son content dans la pièce voisine.

Sans oublier sa chère Catti-Brie, la femme qu'il aimait et comptait épouser sept ans plus tôt, à Mithril Hall.

Aujourd'hui, tous étaient réunis dans le Val Bise, leur foyer, grâce aux exploits de ces merveilleux amis.

Mis à la torture entre les griffes d'Errtu six longues années durant, Wulgar ne comprenait plus ce que représentaient l'amour et l'amitié.

Le jeune colosse croisa les bras. L'épuisement le forçait à rester alité. Mais il n'avait aucune envie de dormir. Errtu le traquait encore dans ses rêves...

Comme ce soir...

Cédant à la fatigue, Wulfgar s'assoupit malgré lui.

Des brumes grises envahirent son esprit...

Celles des Abysses.

Perché sur son trône-champignon, Errtu aux ailes de chauve-souris ricanait. Son rire grinçant s'oubliait difficilement.

Il confia sa victime à un laquais appelé Bizmatec.

Un combat féroce s'engagea entre ce dernier et Wulfgar. A coups de poing, l'humain tint quelque temps en respect les bras et les pinces de la créature.

Mais le combat était trop inégal. Le jeune homme, aussi fort fût-il, n'était pas de taille contre un démon.

Comme toujours, Bizmatec finit par saisir sa proie à la gorge et l'étrangla lentement, prenant tout son temps.

Le jeune barbare se réveilla en sursaut, couvert de sueur. Il se débattait encore... Puis il réalisa qu'il était en sécurité, dans son lit, près de ses amis.

Ses amis...

Que signifiait ce terme ? Que savaient ces gens des tourments qui le mettaient continuellement au supplice ? Comment pourraient-ils l'aider à chasser ses cauchemars ?

Le barbare ne se rendormit pas.

Quand Drizzt vint voir Wulfgar, bien avant l'aube, il le trouva debout et habillé, prêt à partir.

Les cinq compagnons devaient emporter au loin l'artefact appelé Crenshinibon. Leur chemin les conduirait d'abord au sud, puis à l'ouest. Ils gagneraient Caradoon, une ville située sur les rives du lac Impresk et s'enfonceraient dans Monts-Flocons jusqu'à un monastère où un prêtre nommé Cadderly détruirait la relique maléfique.

Crenshinibon.

Ce matin-là, Drizzt l'avait sur lui. Wulfgar ne voyait pas le cristal, mais il sentait sa présence démoniaque.

Crenshinibon restait lié à son maître : Errtu. Il vibrait de son énergie méphitique.

— Une belle journée pour partir sur les routes, déclara Drizzt d'un ton léger.

Où perçait de la condescendance...

Non sans mal, Wulfgar s'abstint de lui ficher son poing dans la figure.

Grommelant, il se leva et passa devant le Drow, qui mesurait à peine cinq pieds ; Wulfgar en faisait dans les sept. Son tour de cuisse équivalait presque au tour de taille de Drizzt.

Pourtant, s'ils devaient s'affronter, les parieurs avisés miseraient immanquablement sur le Drow.

— Je n'ai pas encore réveillé Catti-Brie, lança Drizzt.

A ce nom, Wulfgar pivota et darda son regard bleu dans les pupilles violettes du Drow.

— Régis est déjà debout, continua l'elfe noir. Il espère s'empiffrer comme quatre avant de prendre la route... Bruenor nous attend avec les siens dans le champ situé derrière le portail est de Bryn Shander. En son absence, la prêtresse Stumpet dirigera le clan.

Wulfgar prêta à peine attention aux paroles de Drizzt.

Pour le barbare, les mots étaient vides de sens.

Le monde entier ne signifiait plus rien pour lui.

— Si nous réveillions Catti-Brie ? proposa le Drow.

— Je m'en occupe, grommela Wulfgar. Surveille plutôt Régis. S'il se goinfre, il nous ralentira. Or, il faut se débarrasser au plus vite de Crenshinibon.

Drizzt ouvrit la bouche pour répondre ; le barbare tourna les talons, alla frapper à la porte de Catti-Brie et entra aussitôt.

L'elfe noir voulut intervenir, mais il se ravisa.

De tous les humains qu'il avait rencontrés, si une personne était capable de se défendre, c'était bien Catti-Brie.

De plus, n'était-ce pas la jalousie qui s'exprimait ainsi chez l'elfe ? Car Wulfgar devait bientôt se marier avec la jeune femme...

Pensif, le Drow se lissa le menton. Puis il s'en fut retrouver Régis.

Catti-Brie était en sous-vêtements et en hauts-de-chausses quand Wulfgar fit irruption dans sa chambre.

— Tu aurais pu attendre que je te dise d'entrer, fit-elle, surmontant son embarras et passant sa tunique.

Le barbare écarta les mains. Catti-Brie lut dans ses yeux bleus un vide qui se retrouvait dans ses rares sourires.

La jeune femme avait longuement parlé du problème avec Drizzt, Bruenor et Régis. Tous étaient d'accord : il fallait être patient avec le jeune barbare. Seul le temps guérirait ses blessures.

— Le Drow nous a préparé un petit déjeuner, dit Wulfgar. Nous devrions manger avant d'entamer ce long périple.

— Le Drow ? répéta Catti-Brie, sidérée.

La distance que prenait Wulfgar vis-à-vis de ses proches la pétrifiait. Appellerait-il bientôt Bruenor « le nain » ? Et elle, « la fille » ?

Catti-Brie soupira. Le jeune barbare avait littéralement traversé les feux de l'enfer.

Elle le dévisagea. Il semblait embarrassé par sa propre référence au « Drow ». C'était plutôt bon signe.

Il se tourna pour sortir. Elle avança et leva une main vers sa joue.

Volontairement ou par paresse, Wulfgar se laissait pousser la barbe.

Il baissa les yeux vers elle, et lut de la tendresse dans ses yeux.

Pour la première fois depuis le combat contre Errtu, Wulfgar eut l'ombre d'un véritable sourire.

Le petit homme mangea avec un bel appétit.

Puis les cinq compagnons quittèrent Bryn Shander, l'agglomération la plus importante des Dix-Cités du Val Bise.

Au nord, on apercevait les maisons hautes de Targos, la deuxième ville de la contrée. Au-delà des toitures, les eaux de Maer Dualdon scintillaient.

Au milieu de l'après-midi, après avoir parcouru une dizaine de lieues, le groupe atteignit les rives de Shaengarne, un fleuve gonflé par la fonte des glaces.

Les compagnons le longèrent en direction de Maer Dualdon.

A Bremen, Régis avait retenu cinq places sur un bateau.

Les voyageurs s'orientèrent ensuite vers l'ouest, laissant leurs maisons derrière eux.

Pour Drizzt, les événements s'enchaînaient à une allure folle.

A peine venaient-ils de sauver Wulfgar des Abysses qu'ils repartaient de nouveau sur les routes du Val Bise...

A l'aventure.

Rabattant sa capuche, Drizzt se protégea de l'éclat du soleil.

Ainsi, ses compagnons ne pouvaient pas le voir sourire.

PREMIÈRE PARTIE

APATHIE

Alors que le monde entier semble en paix autour de moi, je n'en connais plus aucune.

Pourquoi ?

C'est pourtant mon idéal, mon objectif avoué... Le calme et la quiétude auxquels tout guerrier aspire, une fois le conflit terminé... Les dieux savent que depuis sept décennies de telles oasis sont rares dans ma vie.

Cependant, loin d'avoir trouvé la perfection, je souffre d'un manque *lancinant.*

Ça paraît incongru. Mais c'est ainsi. Je suis un guerrier dans l'âme, une créature tout entière tournée vers l'action.

Quand il n'y a pas d'urgence, je ne suis pas à mon aise.

Lorsque mon chemin n'est plus celui de l'aventure, et s'il n'y a plus de monstres à combattre ni de montagnes à gravir, je me sens désœuvré. Au fil des ans, j'en suis venu à accepter cette vérité. Et ce que je suis.

Pour tromper mon ennui, rien ne vaut une belle montagne à escalader, toujours plus haute que la précédente, avec de nouveaux sommets à conquérir...

Wulfgar a les mêmes symptômes que moi. Lui, un miraculé des Abysses...

Seulement, je crains qu'il soit passé de l'ennui à l'apathie.

D'ordinaire amoureux de l'action, il ne semble plus accessible à l'enthousiasme ou à la fougue. Devant une telle léthargie, son propre peuple le pousse à réagir... Ses pairs lui ont demandé de prendre la tête des tribus de la toundra. Même Berkthgar l'Entêté, qui tient actuellement ce rôle, soutient Wulfgar.

Car tous savent qu'avec un tel chef, les barbares du Val Bise seraient merveilleusement dirigés.

Wulfgar fait la sourde oreille.

L'humilité ni la lassitude ne sont en cause. Pas davantage la peur de faillir ou de décevoir. Ce genre de problème pourrait aisément se résoudre.

Mais il ne s'agit pas de réserves compréhensibles aisément démontables.

La vérité, c'est que Wulfgar s'en moque !

A-t-il souffert trop longtemps, pour éprouver encore de la compassion envers ses semblables ? A-t-il subi trop d'horreurs pour entendre leurs appels ?

Je redoute cela plus que tout au monde. Il n'y a pas de cure miracle face à l'abattement et à l'indifférence... Wulfgar reste plongé dans ses rêveries morbides... Des abominations que lui seul peut voir. Face à sa terrible expérience, que représentent pour lui les tourments des autres ?

La perte de l'empathie, du pouvoir de communier avec ses semblables et de les comprendre, voilà bien la pire des cicatrices... La lame silencieuse qui nous poignarde au cœur, volant davantage que nos forces vitales.

Elle nous prive de notre volonté.

Que valent encore nos joies ou nos peines, quand on n'a plus les moyens de communier avec nos semblables ?

Après avoir fui Menzoberranzan, j'ai erré des années en Ombre-Terre... Hormis les visites occasionnelles de Guenhwyvar, j'étais plongé dans une solitude atroce. Sans des trésors d'imagination, aurais-je survécu ?

Wulfgar a-t-il encore la force d'utiliser ce subterfuge ?

L'imagination exige de l'introspection, une plongée dans ses propres méandres mentaux... Or, mon ami ne doit plus avoir à l'esprit que les âmes damnées d'Errtu et les horreurs des Abysses.

Wulfgar est entouré d'amis qui feront tout pour l'aider à fuir les oubliettes affectives où le démon l'a jeté. Catti-Brie, la femme qu'il aimait, jouera peut-être un rôle primordial dans le rétablissement du jeune homme. Les voir ensemble me peine, je l'avoue. Mon amie est toute tendresse et compassion avec Wulfgar, qui ne s'en rend même pas compte. Elle ferait mieux de le gifler ou de lui jeter des regards noirs... et de lui faire prendre conscience de l'apathie où il se complaît.

Cela dit, ce n'est pas à moi d'intervenir. Les relations de ce couple ne sont pas si simples. J'ai les intérêts de Wulfgar à cœur. Mais si je m'en mêlais, je ferais immanquablement figure de rival jaloux.

Rien de plus faux ! Si j'ignore quels sentiments nourrit vraiment Catti-Brie à l'égard de son ancien fiancé, une chose est certaine : actuellement, Wulfgar est incapable d'amour.

Incapable d'amour... Quoi de plus triste chez un homme ?

Il n'est pas d'amour sans empathie.

L'amour n'est que partage : joies, peines, rires, larmes... Sincère, il rapproche les âmes, multiplie les bonheurs et chasse les chagrins.

C'est toute la beauté de l'amour, qu'il s'agisse de passion ou d'amitié.

Mais Wulfgar est hors de l'atteinte de ses amis de toujours. Il s'est retranché derrière ses boucliers...

Espérons qu'il saura de nouveau s'ouvrir, cœur et âme.

Car sans empathie, point de but dans la vie.

Sans but, point de satisfaction.

Sans satisfaction, point de contentement.

Et sans contentement, il n'est point de joie.

Alors, Wulfgar sera définitivement perdu pour nous tous.

Drizzt Do'Urden

CHAPITRE PREMIER

UN ÉTRANGER CHEZ LUI

Perché sur une éminence rocheuse, Artémis Entreri dominait la ville, en proie à des émotions contradictoires. D'une main irritée, il chassa la poussière dont le vent avait saupoudré ses lèvres et son bouc. Ce faisant, il réalisa qu'il ne s'était plus rasé depuis des jours.

Son bouc était en passe de devenir une barbe.

Entreri s'en fichait.

La brise faisait voleter ses longues mèches dans ses yeux, dérangeant aussi sa queue-de-cheval.

Entreri s'en contrefichait !

Les yeux rivés sur Calimport, il cherchait à mieux lire en lui-même... N'avait-il pas passé les deux tiers de sa vie sur la côte sud, à se forger une réputation inégalée de guerrier et de tueur ? C'était le seul endroit au monde où il pouvait se sentir chez lui.

En regardant la ville écrasée de chaleur, on voyait scintiller le marbre blanc des résidences.

Le soleil illuminait aussi les baraquements de fortune, les logis délabrés et les tentes miteuses plantées le long des rues boueuses où s'entassaient les ordures.

De retour à Calimport, Entreri ne savait plus trop où il en était.

Naguère, il n'avait aucun doute sur la place qui lui revenait dans la société. Ayant atteint le pinacle de sa profession, il savait que son nom courait sur toutes les lèvres. On le prononçait avec révérence ou avec crainte.

Quand un pasha louait les services d'Entreri pour tuer un individu, le pauvre était un homme mort.

Il n'y avait pas de merci.

Malgré la multiplication de ses ennemis, Entreri pouvait arpenter les rues de Calimport au vu et au su de tous. Personne n'osait l'affronter.

Lui décocher une flèche ? Il fallait être absolument certain de l'abattre du premier coup.

Sinon, Entreri se rétablissait et réglait son compte au maladroit...

Son absence s'était prolongée des années. Dans les allées sombres où il avait jadis évolué comme un poisson dans l'eau, les choses avaient dû beaucoup changer.

Ses vieux associés disparus, Entreri devrait rapidement refaire ses preuves s'il voulait survivre aux rencontres avec les chefs de guildes qui l'attendaient.

— Que m'as-tu fait, Drizzt Do'Urden ? soupira Entreri avec un petit rire.

Le jour où le pasha Pook l'avait chargé de récupérer un rubis magique, volé par un petit homme en fuite, sa vie bien réglée avait été bouleversée.

Une mission de routine, avait estimé Entreri, d'autant qu'il connaissait bien Régis. Il avait pensé n'en faire qu'une bouchée.

C'était ignorer que le petit homme avait su s'entourer de puissants alliés. Notamment, l'elfe noir.

A combien d'années remontait sa rencontre avec Drizzt Do'Urden ?

Le Drow, son égal, capable de le faire réfléchir sur les faux semblants et les bases truquées de sa propre existence...

Une décennie, ou presque.

En dix ans, Entreri avait vieilli. Ses réflexes n'étaient plus tout à fait les mêmes.

Le Drow, lui, n'avait pas une ride. Le temps n'avait guère de prise sur les elfes !

Drizzt avait vraiment lancé son adversaire humain sur des chemins dangereux... L'introspection n'avait pas que du bon.

Le Drow avait failli le tuer près de Mithril Hall. Seule l'intervention de Jarlaxle, un autre elfe noir, avait sauvé Entreri.

Puis Jarlaxle avait entraîné son obligé dans les profondeurs de Menzoberranzan, le fief de la déesse Lolth, la reine du Chaos...

L'assassin avait découvert une autre cité rongée par le vice et le crime. L'intrigue et la brutalité y régnaient en maîtres.

A Menzoberranzan, tous étaient des assassins en puissance. Malgré son perfectionnisme, Entreri restait un simple humain... relégué sur le dernier barreau de l'échelle sociale.

Dans la cité des Drows, l'assassin avait pris conscience de bien des réalités.

Comme la vacuité de sa propre existence.

Dans une ville remplie d'Entreri puissance *x*, l'assassin avait mesuré l'imbécillité de son assurance et jaugé le côté ridicule de ses assertions : croire que son dévouement à l'art du combat le plaçait au-dessus de la racaille ordinaire !

A présent, Calimport n'était plus un foyer, ni un dernier refuge.

Dans la mystérieuse Menzoberranzan, Artémis Entreri avait appris l'humilité.

Désirait-il vraiment revenir à Calimport ? Les prochaines heures seraient décisives. Mais ce n'était pas la peur de mourir qui le gênait, lui d'habitude si arrogant et assuré.

C'était celle de continuer à vivre.

Calimport... La ville aux cent mille mendiants, comme Entreri se plaisait à l'appeler.

Quand il entra dans la cité, il passa aussitôt devant des dizaines de loqueteux. Certains n'avaient même plus de haillons pour couvrir leurs carcasses rachitiques.

Ils végétaient là où les gardes avaient dû les jeter au matin, pour dégager le passage aux carrosses dorés des riches marchands.

Les misérables tendirent des doigts squelettiques vers le passant.

Les bras retombèrent vite, presque sans forces.

Quelle rue prendre ? se demanda Entreri.

Son vieil employeur, le pasha Pook, était mort depuis longtemps, victime de la panthère noire de Drizzt...

Devant ce désastre, Entreri avait préféré ne pas traîner à Calimport. Le monde où il évoluait était sans pitié pour les échecs.

L'assassin aurait pu aisément redorer son blason en monnayant ses services auprès d'un autre chef de guilde ou d'un pasha en vue... Mais il avait préféré prendre le large.

Dans les égouts de la ville, Entreri s'était mesuré à Drizzt. Le duel avait été écourté, laissant l'assassin extrêmement frustré.

Quelle réputation avait-il encore à Calimport ? En son absence, ses concurrents avaient dû noircir le tableau, montant sa bévue en épingle pour se mettre en valeur.

Entreri sourit. Les médisants avaient dû à peine chuchoter, tant le tueur était redouté. On ne savait jamais quand il pouvait resurgir et frapper...

Entreri aimait être respecté.

Et le respect, ça se méritait !

Dans les ruelles familières, les souvenirs affluaient. Le tueur savait où étaient la plupart des maisons des guildes. A moins que des bourgmestres ambitieux aient voulu nettoyer leur cité, la même faune devait y graviter, de jour comme de nuit.

A la mort du pasha Pook, l'indolent Régis avait pris sa succession. Entreri avait réglé le problème en s'occupant personnellement de lui... Malgré ces bouleversements, le palais avait subsisté en l'état.

Qui pouvait en être le maître à présent ?

Pour Entreri, désireux de rasseoir sa réputation et d'élargir sa sphère d'influence, ç'aurait été la base d'opérations idéale.

Haussant les épaules, il passa son chemin.

Et aborda un autre quartier familier.

Inconsciemment, ses pas l'y avaient porté.

Dans ces rues, le tout jeune Artémis Entreri avait fait ses premières armes. Il avait vaincu ses adversaires, les uns après les autres, puis défait l'homme de main envoyé par Theebles Royuset, le lieutenant de la puissante guilde du pasha Basadoni.

Entreri avait tué la brute, puis son laideron de maître.

L'habileté de l'exécution lui avait attiré les faveurs de Basadoni. Le jeune prodige était devenu le lieutenant d'une des guildes les plus puissantes de Calimport, sinon du Calimshan.

Il avait quatorze ans.

Et à présent ?

Le souvenir ne lui arrachait même plus un sourire de fierté...

Entreri remonta plus loin dans son passé.

Les épreuves trop difficiles à surmonter pour un gamin des rues, la duplicité et la perfidie de tous ceux en qui il avait placé sa confiance... A commencer par son propre père.

Après tant d'années, le chagrin avait disparu.

A ses yeux, ça ne représentait plus rien.

Dans l'ombre d'un cabanon, Entreri repéra une femme qui étendait son linge.

Méfiante, elle recula au fond de son antre.

Compréhensible. Après tout, Entreri était un étranger trop bien vêtu pour appartenir à ces quartiers de misère.

Dans des environnements si violents, qui disait étranger disait danger.

— De là jusque là-bas ! lança soudain un jeune homme, plein de fierté.

Mais la peur perçait derrière sa bravade.

L'adolescent dégingandé brandissait une massue hérissée de pointes.

Entreri le dévisagea.

Trop nerveux, ce gosse, pour être une véritable menace.

En voilà un qui ne survivrait pas longtemps.

L'adolescent désigna de sa main libre le début et la fin de sa rue.

Serrant la garde de sa dague, sous cape, Entreri fit une légère révérence.

— Pardon, jeune maître.

D'une torsion du poignet, il pouvait lancer l'arme et la planter dans le cou de l'impudent.

— Maître..., répéta l'adolescent, appréciant visiblement le titre. Maître de cette rue et de toutes les autres. Nul ne les emprunte sans la permission de Taddio !

Entreri lui décocha un regard noir.

Maître mort..., songea-t-il.

L'Artémis Entreri de jadis aurait relevé le gant, et éliminé l'importun sans y réfléchir à deux fois.

Aujourd'hui, il ne se sentait nullement insulté.

Soupirant, il se demanda combien d'autres défis absurdes il aurait à relever dès le premier jour.

Et pour quoi faire ?

Dans son genre, le gosse qui lui faisait front était aussi déroutant que pathétique. Pour revendiquer une ruelle vide et lugubre comme celle-là, il fallait avoir un problème ! Aucun individu rationnel n'en aurait voulu.

— Veuillez me pardonner, jeune maître, répondit Entreri avec calme. Etant nouveau dans la région, j'ignore vos coutumes.

— Alors mettez-vous au courant !

L'attitude soumise de l'étranger donnait de l'assurance à Taddio.

Il avança, l'air menaçant.

Loin de lancer sa dague, Entreri ouvrit les cordons de sa bourse et en tira une pièce d'or, qu'il jeta aux pieds de l'adolescent.

Ce dernier, qui s'abreuvait aux égouts et se contentait des reliefs dénichés dans les arrière-cours des villas, ne put cacher sa stupéfaction.

Puis il toisa l'étranger de plus belle.

— Ça ne suffit pas !

Entreri lui jeta une autre pièce d'or et une d'argent.

— C'est tout ce que j'ai, jeune maître.

— Si je vous fouille et que vous avez menti...

Le tueur soupira. Que le morveux approche encore et il le tuerait. Sa patience avait des limites.

Le garçon se baissa et ramassa la petite fortune.

— Si vous revenez sur le territoire de Taddio, il vous faudra une bourse mieux garnie ! Maintenant, filez !

Se fendant d'une autre courbette, Entreri s'éloigna.
Taddio ne se doutait pas de sa chance...

Le bel édifice marmoréen s'agrémentait de sculptures élaborées.

Au sein des guildes de voleurs, c'était la plus belle résidence. En principe, ces professionnels, discrets par définition, préféraient aux palais les demeures d'aspect anodin.

Celle du pasha Basadoni était l'exception.

Ce vieillard frôlant les quatre-vingt-dix ans aimait son petit confort. Il appréciait le luxe ostentatoire et adorait exhiber la splendeur et la puissance de sa guilde.

Une vaste pièce centrale, au premier étage, tenait lieu de salle du conseil. Deux hommes et la femme affectés aux opérations quotidiennes y recevaient une jeune terreur des rues.

Un gamin, en réalité, tout juste sorti des jupons de sa mère. Sans la protection du pasha Basadoni...

Taddio sortit après avoir fait son rapport.

— Au moins, il est loyal, remarqua La Main, un voleur subtil et réservé surnommé le maître des ombres. Deux pièces d'or et une d'argent... pas mal !

— Si c'est vraiment tout ce qu'il a soutiré à l'étranger, lâcha Sharlotta Vespers, amusée.

Mesurant plus de six pieds de haut, la jeune femme était la plus élancée des trois. Fine et gracieuse, elle était surnommée « Le Peuplier » par Basadoni. Le pasha et Sharlotta restaient amants malgré l'âge avancé de l'homme. La jeune femme devait sa position élevée à ses complaisances sexuelles. Elle l'admettait volontiers devant tout rival qui s'en plaignait... avant de le faire taire.

Définitivement !

Elle secoua la tête, faisant voleter ses longues mèches aile-de-corbeau.

— Si Taddio avait reçu plus, il aurait rapporté plus, dit La Main.

Kadran Gordeon et lui avaient du mal à s'entendre avec Sharlotta, par trop condescendante. La Main avait en charge la division des tire-laine et celle des filles de joie, Gordeon dirigeait celle des soldats des rues. Mais Sharlotta avait l'oreille de Basadoni...

D'ailleurs, les apparitions du vieillard se faisaient de plus en plus rares.

Quand il rendrait l'âme, ses trois lieutenants mèneraient une guerre de succession sans merci. Certains soutiendraient le fougueux Kadran Gordeon. D'autres, comme La Main – ceux qui comprenaient mieux les rouages du pouvoir –, savaient que Sharlotta Vespers avait déjà beaucoup travaillé dans l'ombre pour consolider sa position.

Avec ou sans l'aile tutélaire de Basadoni...

— Si on parlait d'autre chose ? lança Kadran Gordeon. Sans permission, trois nouveaux marchands ont planté leurs piquets au marché à moins d'un jet de pierres de notre maison. C'est là-dessus qu'on devrait se concentrer !

— Nous en avons déjà débattu, rappela Sharlotta. Vous voulez notre aval pour lancer sur eux vos hommes, voire les foudres de votre sorcier, histoire de leur donner une bonne leçon. Mais vous perdez votre temps.

— Si nous attendons que le pasha Basadoni se prononce enfin sur la question, d'autres marchands concluront qu'ils peuvent aussi s'installer dans notre zone de protection sans s'acquitter des taxes idoines !

Il se tourna vers La Main, qui prenait souvent son parti contre Sharlotta. Mais l'homme fluet était visiblement intrigué par ce qu'il tenait : les pièces remises par Taddio.

— Qu'y a-t-il ? demanda Kadran.

Son collègue lui lança la pièce d'or.

— Je n'en avais jamais vu de la sorte...

Kadran rattrapa la pièce et l'étudia à son tour. Surpris, il la tendit à Sharlotta.

— Moi non plus, admit-il. Ce n'est pas d'ici ni du Calimshan, à mon avis.

Une lueur s'alluma dans les grands yeux vert clair de la jeune femme.

— Un croissant de lune à l'avers et un profil de licorne au revers... Ça vient de Sylverymoon.

Les deux hommes se regardèrent.

— Sylverymoon ? répéta Kadran.

— Une ville lointaine, à l'est d'Eau Profonde, répondit Sharlotta.

— Je sais où elle est ! s'irrita Kadran. C'est le domaine de dame Alustriel, si je ne m'abuse. Là n'est pas le problème.

— Pourquoi un marchand venu de là-bas, si marchand il y a, se serait-il fourvoyé dans les bas quartiers où végètent des vermines comme Taddio ? demanda La Main, donnant corps aux doutes de Kadran.

— C'est juste, renchérit ce dernier. Quand on a des pièces d'or plein son escarcelle, on ne s'égare pas dans les quartiers malfamés. (Il grimaça, tordant ses moustaches.) Voilà qui est bizarre.

— L'individu devait venir des docks, dit La Main. Il a très bien pu se perdre. Ces ruelles pestilentielles se ressemblent toutes. Rien de plus facile que de se tromper de direction, surtout pour un étranger.

— Je ne crois pas aux coïncidences, lança Sharlotta, rendant la pièce à La Main. Montrez-la à un des associés de notre sorcier, Giunta le Devin, par exemple. Il peut rester assez de traces psychiques du propriétaire pour qu'il l'identifie.

— C'est se donner bien du mal pour une lavette incapable de tenir tête à un gringalet, remarqua La Main.

— Je ne crois pas aux coïncidences, je viens de le dire, répliqua Sharlotta. Je doute que quiconque puisse se laisser intimider par Taddio. A moins de savoir qui est le maître du gosse... Et si notre homme en sait si long sur nous, il me déplaît qu'il arpente notre territoire sans juger bon de s'annoncer. Cherchait-il à contacter quelqu'un ? Ou voulait-il repérer une faille dans notre organisation ?

— Vous tirez beaucoup de conclusions d'une simple anecdote, dit Kadran.

— Seulement quand il y a danger. Jusqu'à preuve du contraire, tout le monde est un ennemi à mes yeux...

L'essentiel, pour vaincre l'adversité, c'est de savoir à quoi s'en tenir. Toujours, et sur tous !

L'ironie de ce petit discours ne fut pas perdue pour Kadran Gordeon. Mais il dut reconnaître le bien-fondé du raisonnement.

Entreri connaissait cette maison mieux que n'importe quelle autre en ville. Derrière les murs anodins d'un entrepôt ordinaire, des tapisseries aux fils d'or et des armes splendides s'offraient aux regards. Sous le porche de l'entrée, un vieux mendiant avait trouvé refuge.

Dans une grande salle, des danseuses aux voiles et aux parfums voluptueux évoluaient avec grâce. Il y avait des bains aromatiques envoûtants, et des mets raffinés importés des quatre coins des Royaumes Oubliés ravissaient les palais...

La résidence avait appartenu au pasha Pook. A sa mort, l'ennemi juré d'Entreri avait confié la succession au petit homme Régis, dont le règne avait été vite écourté.

Quand Entreri avait forcé Régis à quitter la ville, plusieurs factions se battaient pour la possession des lieux.

Vétéran de la cambriole avec vingt ans d'expérience à la clé, Quentin Bodeau avait dû triompher.

Une autre guilde avait-elle jeté son dévolu sur le territoire et vidé « l'entrepôt » de ses richesses ? Au cours des luttes clandestines, tout pouvait arriver.

Entreri ferait éventuellement un tour dans l'ancien palais de Pook. Histoire de satisfaire sa curiosité.

Peut-être.

Le tueur s'attarda près du porche. Son œil exercé repéra un subterfuge classique : le mendiant « unijambiste » avait en fait lié ses jambes sous lui. D'évidence, il s'agissait d'une sentinelle déguisée. Les piécettes de cuivre, dans son écuelle, complétaient le tableau.

Peu importait...

Jouant lui-même son rôle de touriste ignorant, Entreri approcha et lança une pièce d'argent à « l'indigent ».

Stupéfait, ce dernier écarquilla les yeux. Entreri avait écarté sa cape, dévoilant la garde sertie de joyaux de sa dague, l'arme de prédilection dans les bas quartiers de Calimport.

Avait-il tort de montrer qu'il était armé ?

Le tueur s'éloigna...

S'il ne tenait pas à se faire remarquer, il n'avait pas non plus l'intention de raser les murs.

Entreri haussa les épaules.

Perdu dans ses pensées, il n'avait plus d'intérêt pour rien.

Quelle importance, tout ça ?

Plus tard, cette nuit-là, le sorcier LaValle consulta sa boule de cristal. La nervosité et les murmures de ses associés n'aidaient pas sa concentration. Venue au rapport, la sentinelle avait parlé d'un mystérieux étranger aux allures de guerrier. Sa dague n'aurait pas déparé la mise d'un capitaine du roi !

La description de l'arme avait fait souffler un vent de panique sur les membres de la maison.

LaValle avait été un associé du redoutable Artémis Entreri. Il connaissait cette dague par cœur, l'ayant parfois vue de trop près à son goût !

Son premier réflexe fut de consulter sa boule de cristal.

Elle avait confirmé ses craintes : la dague se trouvait bien à Calimport.

Encore un instant et on saurait qui la portait...

Quentin Bodeau et deux jeunes tueurs arrogants se pressaient autour du sorcier.

Une chambre apparut dans la boule magique.

— C'est l'auberge de Tomnoddy, dit Chien Perry.

Il se surnommait Le Cœur : rien ne lui plaisait tant que de dégager au couteau le cœur de ses victimes et de le leur arracher, palpitant, avant qu'elles rendent leur dernier soupir...

D'une main levée, LaValle ramena le silence. L'image se précisa, centrée sur une ceinture enroulée au pied d'un lit. La dague y pendait.

— C'est bien celle d'Entreri, maugréa Quentin Bodeau.

Un homme apparut dans le champ de vision magique. Il était torse nu.

Des années d'entraînement rigoureux avaient sculpté son corps. A chaque mouvement, sa musculature jouait sous sa peau.

Quentin l'étudia, notant la longue chevelure, l'allure négligée, la barbe de trois jours...

Entreri était pourtant connu pour sa propreté de perfectionniste invétéré...

Perplexe, Quentin leva les yeux vers LaValle.

— C'est bien lui, répondit le sorcier à la question muette de ses compagnons.

Nul ne connaissait Entreri mieux que lui.

— Que signifie sa présence ? demanda Quentin. Revient-il en ami ou en ennemi ?

— A mon avis, notre homme est au-dessus de tout ça, fit LaValle. Artémis a toujours été un esprit libre. Il ne manifeste jamais de loyauté trop prononcée envers une guilde, quelle qu'elle soit. Il prend l'argent là où il est, en paiement de ses services, et c'est tout.

LaValle regarda les jeunes tueurs ; ils connaissaient Entreri de *réputation*. Le cadet, Chalsee Anguaine, trahissait une grande nervosité. Chien Perry, lui, était visiblement jaloux. Il briguait la place d'Entreri au panthéon des assassins.

— Peut-être serait-on avisés de lui offrir une mission..., avança Quentin Bodeau. Mieux vaut apprendre rapidement les raisons de son retour au pays.

— On pourrait aussi l'abattre, bougonna Chien Perry.

LaValle étouffa un ricanement. Pour lancer de telles inepties, il fallait tout ignorer sur Artémis Entreri. Ne portant guère Perry dans son cœur, le sorcier espérait presque que Quentin prendrait l'impudent au mot et l'enverrait aux trousses d'Entreri.

Une mission dont il ne reviendrait pas.

Mais si Quentin n'avait jamais eu affaire à Entreri, il se rappelait trop bien sa sulfureuse réputation, et tout ce qu'on colportait encore sur le personnage.

Incrédule, le maître de la guilde toisa Chien Perry.

— Engagez Entreri si vous avez besoin de ses services, dit LaValle. Sinon, tenez-le à l'œil et gardez-vous de le menacer inutilement.

— C'est un homme comme un autre, que je sache, et notre guilde compte une centaine de membres ! protesta Chien Perry.

Plus personne ne l'écoutait.

Quentin craignait qu'Entreri veuille prendre la tête de la guilde. Des angoisses qui n'étaient pas sans fondement... Le roi des assassins devait encore compter sur de solides et redoutables relations. Une grosse pointure comme Entreri n'aurait guère de mal à évincer Quentin Bodeau...

LaValle était d'un autre avis. Il connaissait trop Entreri. Le tueur ne recherchait pas les responsabilités. C'était un loup solitaire, pas un meneur d'hommes.

Autrement, il aurait remplacé Régis dans le palais de Pook. Au lieu de cela, il avait quitté la ville, laissant les autres s'entre-tuer pour prendre la place.

D'un regard, LaValle sut rassurer Quentin.

— Quoi que nous décidions, contentons-nous dans un premier temps de garder à l'œil notre dangereux ami, dit le sorcier. Inutile de l'attaquer sans raison. Pour l'heure, je doute que ce soit nécessaire.

Heureux d'entendre confirmer ses propres réserves, Quentin hocha la tête.

LaValle s'inclina et sortit, suivi par les jeunes tueurs.

— Si Entreri est une menace, il faut l'éliminer ! lança Chien Perry. Si vous l'aviez conseillé différemment, maître Bodeau en aurait volontiers convenu !

LaValle s'arrêta et dévisagea son interlocuteur sans aménité.

Qu'un jeune freluquet à peine sorti de l'œuf et sans expérience ose lui parler sur ce ton ne lui plaisait guère. Bien avant qu'un « Chien Perry » voie le jour, LaValle côtoyait déjà de dangereux tueurs.

— Je ne dirai pas que j'en disconviens, répondit le sorcier.

— Alors pourquoi avoir parlé ainsi à Bodeau ?

— Si Entreri est revenu à Calimport sur l'instigation d'une autre guilde, les conséquences pourraient être désastreuses pour la nôtre, improvisa LaValle. Vous savez sans doute qu'Artémis Entreri a fait ses premières armes sous la tutelle du pasha Basadoni.

— Bien sûr, mentit Chien Perry.

Se tapotant les lèvres, LaValle haussa les épaules.

— Nous n'aurons peut-être aucune difficulté, en fin de compte. Entreri a vieilli. Ses réflexes ne seront plus les mêmes et ses relations ne valent plus grand-chose. Quand la nouvelle de son retour s'ébruitera, il aura d'autres chats à fouetter.

— Il s'est fait beaucoup d'ennemis, dit Chien Perry, intrigué par le ton de La Valle.

Ce dernier secoua la tête.

— Des ennemis qui sont morts depuis... Des rivaux, plus précisément. Combien de jeunes loups ambitieux convoitent le prestige que leur vaudrait un simple coup de couteau ?

Commençant à comprendre, Chien Perry plissa le front.

— Celui qui aura la peau d'Entreri, continua le sorcier, tirera profit de l'extraordinaire tableau de chasse de sa victime... Car sa réputation deviendra la sienne ! Le meurtrier d'Entreri deviendra vite le tueur à gages le mieux payé de Calimport.

LaValle tourna les talons et s'éloigna.

Chien Perry resta seul.

A dire vrai, LaValle se moquait que le jeune homme le prenne au sérieux ou non. En revanche, le retour d'Entreri le mettait sur les nerfs. Il le trouvait plus dangereux que cent autres tueurs travaillant ensemble.

LaValle avait survécu toutes ces années en ne faisant d'ombre à personne. Il avait servi sans état d'âme les maîtres successifs de la guilde, brillant tout particulièrement sous la tutelle du pasha Pook. Puis, à la mort de ce dernier, il avait réussi un tour de force : persuader les amis de Régis, les nains comme l'elfe noir, qu'il n'était pas une menace.

Quand Entreri avait mis un terme à la domination du petit homme, LaValle s'était bien gardé d'intervenir, même si l'issue ne faisait aucun doute.

Ensuite, d'autres bouleversements étaient survenus. Le sorcier avait attendu que la tempête retombe... et qu'un vainqueur émerge des combats.

Avec Entreri, il y avait une subtile différence. Au fil des décennies, LaValle s'était forgé de solides défenses. Il travaillait d'arrache-pied à éviter les inimitiés dans un milieu où tout le monde entrait en compétition. Mais la neutralité ou l'innocence n'avait jamais protégé les faibles et les simples observateurs... LaValle savait qu'il pouvait à tout moment être entraîné dans le tourbillon des luttes quotidiennes... et périr à son tour.

Aussi, à toutes fins utiles, il s'était doté de puissants boucliers.

Pour avoir observé Entreri pendant des années, le sorcier ne nourrissait guère d'illusions à son sujet.

Contre Artémis Entreri, aucune défense n'était idéale.

Le sorcier veilla tard, réfléchissant à ce qui avait pu inciter le tueur à revenir sur le théâtre de ses exploits.

CHAPITRE II

LE MORS AUX DENTS

Le groupe cheminait lentement mais sûrement. Avec la fonte des neiges, la toundra était comme une éponge saturée d'humidité. Plus léger que ses compagnons, Drizzt ne rencontrait guère de difficultés. Mais ses amis avaient tendance à s'enfoncer dans la terre meuble.

La boue collait aux bottes... Confortablement installé sur les épaules de Wulfgar, Régis ne voyait pas où était le problème...

Habitués aux aléas des randonnées printanières, les trois autres voyageurs ne se plaignaient pas. Le plus difficile à négocier serait la première étape du trajet. Une fois atteint le versant occidental de l'Épine Dorsale du Monde, tout irait mieux.

De temps à autre, les compagnons découvraient les vestiges d'une voie pavée ancestrale reliant Dix-Cités au défilé de l'ouest. S'orienter dans la toundra n'avait rien de sorcier : il suffisait de garder derrière soi les hautes montagnes du sud.

L'elfe noir tâchait de guider ses amis vers les plaines, conscient que des prédateurs comme les yétis devaient y guetter les voyageurs.

Avec Drizzt Do'Urden à leur tête, les compagnons ne s'inquiétaient pas outre mesure.

En milieu d'après-midi, ils découvrirent des traces récentes sur l'antique route.

— On dirait celles d'un chariot, dit Catti-Brie.

— Il devait y en avoir deux, précisa Régis, remarquant des traînées identiques.

— Non... Regarde mieux : l'attelage a dû reculer plus d'une fois pour se désembourber. D'où les traînées parallèles qui se recoupent...

— Bien vu, fit Drizzt, qui était parvenu à la même conclusion. Cet attelage n'a pas plus d'un jour d'avance sur nous.

— Des marchands ont quitté Bremen trois jours avant notre arrivée, annonça Régis, toujours au fait des activités des Dix-Cités.

— Visiblement, ils ne sont pas au bout de leurs peines..., lâcha Drizzt.

— Ni des problèmes ! lança Bruenor, campé sur un bas-côté de la route. Venez voir.

Les amis découvrirent des empreintes de yétis.

— Ou je suis un gnome barbu, ou ces sales bêtes savent que c'est un lieu de passage !

— Et leurs traces sont plus fraîches, ajouta Catti-Brie.

Juché sur les épaules de Wulfgar, Régis jeta des coups d'œil nerveux alentour.

Penché sur les empreintes, Drizzt secoua la tête.

— Elles sont récentes, insista Catti-Brie.

— C'est vrai. Mais à mon avis, il ne s'agit pas de yétis.

— Ce n'est pas un cheval, bougonna Bruenor. Ou alors un cheval à deux pattes... C'était peut-être un très gros yéti.

— Non, dit le Drow. Pas un yéti, mais un géant.

— Un géant ? répéta le nain, sceptique. On est à dix lieues au moins des montagnes. Que ferait ce monstre par ici ?

— On se le demande..., lâcha Drizzt.

Les géants s'aventuraient rarement loin de l'Epine Dorsale du Monde. Et toujours avec de mauvaises intentions.

S'agissait-il d'un maraudeur solitaire ? Ou, plus préoccupant, d'un éclaireur ?

Bruenor planta sa hache dans la glaise.

— Pas question de revenir sur nos pas, l'elfe, c'est moi qui te le dis ! Plus vite on s'arrachera à ce bourbier, mieux ce sera ! Dix-Cités s'est parfaitement débrouillée sans toi toutes ces années...

— Mais si des géants sont en maraude..., protesta Catti-Brie.

— Je n'ai pas l'intention de rebrousser chemin, coupa Drizzt. Pas encore. A moins d'un désastre imminent... Continuons vers l'est. J'ai bon espoir de rattraper les marchands de Bremen vers la tombée de la nuit. Ils risquent d'avoir besoin d'aide avant longtemps...

Le groupe repartit en pressant l'allure. Deux heures plus tard, le chariot fut en vue.

Deux hommes, sans doute des gardes, tiraient de toutes leurs forces pour dégager le véhicule de son carcan de boue.

Régis identifia Camlaine, un négociant en cornedentelle.

Les gardes s'enfonçaient dans la tourbe jusqu'aux chevilles sans parvenir à soulever assez le chariot.

Tous rayonnèrent de joie en voyant arriver le célèbre groupe de Drizzt Do'Urden ! Parmi les braves gens du Val Bise, qui ne connaissait pas ces héros ?

— Bienvenue, maître Do'Urden ! s'écria Camlaine. Permettez que votre ami barbare nous tire de ce faux pas et nous saurons vous remercier ! Je dois être dans une quinzaine à Luskan, mais si ça continue, l'hiver venu, je serai encore au Val Bise !

Bruenor confia sa hache à Catti-Brie.

— Viens, Wulfgar ! Crois-tu pouvoir soulever ça ?

Nonchalant, le barbare posa Régis par terre. Sans même se délester de son magnifique marteau de guerre, Aegis-fang, Wulfgar s'assura une bonne prise et arracha l'attelage à la terre boueuse.

La surprise passée, les gardes prêtèrent main forte au barbare pour pousser le chariot sur un terrain sec.

Camlaine se fendit d'un grand sourire.

— Cher nain, puissant Wulfgar, vous tombez à pic !

— Voilà une aspiration digne du roi des nains, sourit Drizzt. Dégager les chariots des marchands itinérants !

Excepté Wulfgar, tous gloussèrent de bon cœur.
— Vous êtes loin des Dix-Cités, remarqua Camlaine. Quitteriez-vous de nouveau le Val Bise ?
— C'est temporaire, assura Drizzt. Nous avons à faire dans le sud.
— A Luskan ?
— Non, au-delà. Mais nous traverserons la ville, ça paraît certain.
Visiblement ravi par la nouvelle, Camlaine porta la main à sa bourse ; d'un bras levé, Drizzt l'arrêta. Que l'homme offre de payer pour un menu service lui semblait absurde.
Embarrassé, Camlaine se souvint qu'un roi aussi riche que Bruenor n'avait que faire des oboles de simples marchands. C'était même offensant...
— Eh bien, je... j'aimerais vous prouver ma gratitude... Mieux, je voudrais vous convaincre de m'accompagner jusqu'à Luskan... Je peux compter sur des gardes très capables, bien sûr... Mais le Val Bise regorge de dangers. Sur un trajet aussi périlleux, avoir des guerriers avec soi est toujours un soulagement, qu'ils manient l'épée, le marteau de guerre ou la hache !
Du regard, Drizzt consulta ses compagnons. Comme aucun n'élevait d'objections, il hocha la tête.
— C'est entendu. Nous ferons route ensemble.
— Etes-vous en mission ? s'enquit le marchand. Notre chariot n'est guère rapide, comme vous voyez. Et nous sommes éreintés. Nous espérions camper bientôt, même si le soleil ne se couchera pas avant deux ou trois heures.
Drizzt interrogea encore ses amis du regard. Personne ne protesta. Détruire Crenshinibon était primordial.
Mais pour l'instant, les heures ne comptaient pas...
Le Drow trouva un peu plus loin un endroit convenable pour dresser le camp.
Camlaine concocta un succulent ragoût de viandes. Le repas se passa en agréables bavardages. Camlaine et ses quatre compagnons parlèrent surtout des problèmes à Bremen, dus à l'hiver, et de la pêche. Les cartilages

des meilleurs poissons donneraient beaucoup de cornedentelle de qualité.

Guère intéressés, Drizzt et les siens écoutaient poliment. En revanche, Régis avait passé des années à sculpter ses stocks de cornedentelle sur les berges de Maer Dualdon. Il pria Camlaine de lui montrer ses objets d'art.

Le petit homme les détailla.

— Crois-tu que nous verrons les géants cette nuit ? demanda Catti-Brie à Drizzt.

Tous deux s'étaient discrètement écartés du groupe.

Le Drow secoua la tête.

— L'éclaireur a dû retourner vers les montagnes. Il devait faire une simple reconnaissance, à mon avis.

— Mais il pourrait s'en prendre aux marchands qui viendront ensuite.

Drizzt sourit. La belle jeune femme et lui échangèrent un regard complice. Depuis le retour de Wulfgar, une certaine tension était apparue entre eux. Pendant les six ans qu'avait duré l'absence du barbare, Drizzt et Catti-Brie avaient forgé une amitié... amoureuse. Wulfgar de retour, leur relation s'était compliquée.

Ce soir-là, pourtant, tout redevint soudain très simple. L'elfe et l'humaine étaient seuls au monde.

Pour eux, le temps suspendit son vol...

Les autres n'existaient plus.

L'instant fut magique mais fugace.

Un bruit de pas força les jeunes gens à s'écarter abruptement l'un de l'autre.

Catti-Brie croisa le regard de Wulfgar dardé sur elle et le soutint.

Un garde de Camlaine revenait vers le groupe, tout excité.

— On dirait que notre ami s'est décidé à montrer sa sale trogne, tout compte fait, soupira Catti-Brie.

Les jeunes gens rejoignirent leurs compagnons.

— Derrière ce tumulus ! dit l'homme, le bras tendu.

Catti-Brie prit son arc, Cherchecœur, et encocha une flèche.

— Allons ! s'écria Bruenor. Un géant, tapi derrière cette butte ridicule ? C'est une plaisanterie !

Il brandit néanmoins sa hache.

Drizzt hocha la tête. Il fit signe Catti-Brie et à Wulfgar de prendre position. Puis il s'élança, rapide et silencieux, jusqu'au pied de la butte.

Il dégaina ses cimeterres... et les rengaina.

Un barbare à la forte carrure, vêtu d'une peau de loup, émergea de l'ombre.

— Kierstaad, fils de Revjak, lâcha Catti-Brie.

— Sur les traces de son héros, ajouta Bruenor avec un regard pointu vers Wulfgar.

Ce n'était un secret pour personne, et surtout pas pour les tribus barbares du Val Bise : Kierstaad idolâtrait Wulfgar. Le jeune homme avait volé Aegis-fang et suivi les compagnons sur la Mer des Glaces Flottantes pour arracher Wulfgar aux griffes du démon Errtu.

Pour Kierstaad, Wulfgar symbolisait la grandeur à laquelle les tribus du Val Bise devaient aspirer.

Wulfgar fronça les sourcils.

Kierstaad et Drizzt échangèrent quelques mots avant de s'approcher du groupe.

— Notre ami veut parler à Wulfgar, annonça le Drow.

— Je viens plaider pour la survie des tribus ! lança Kierstaad.

— Elles prospèrent sous le règne de Berkthgar le Téméraire, répondit Wulfgar.

— C'est faux ! s'insurgea Kierstaad.

Les autres s'écartèrent des deux barbares, les laissant régler l'affaire entre eux.

— Berkthgar respecte nos traditions, c'est un fait, continua Kierstaad. Mais les traditions ne permettent guère d'aspirer à une destinée plus grande que celle de nos aïeux... Seul Wulfgar, fils de Beornegar, peut unir les tribus et renforcer nos liens avec les communautés de Dix-Cités.

— Et ce serait un bien ? fit Wulfgar, sceptique.

— Oui ! Nul d'entre nous ne crierait plus famine l'hiver venu ! Nous ne dépendrions plus des hardes de caribous.

Wulfgar peut changer notre mode de vie... et nous offrir de meilleurs lendemains.

— Tout ça n'a aucun sens !

Wulfgar chassa ces « billevesées » d'un revers de la main et tourna les talons. Mais son interlocuteur n'était pas décidé à s'avouer vaincu. Il le rattrapa par un bras.

Kierstaad voulait continuer à marteler ses arguments : Berkthgar considérait encore les communautés des Dix Tribus, le clan Battlehammer compris, comme des ennemis.

Wulfgar réagit violemment. Frappant le jeune homme à la poitrine, il l'envoya rouler dans la boue.

Avec un grognement, le barbare s'éloigna et retourna s'asseoir à l'écart pour finir son ragoût.

Des protestations fusèrent de toutes parts.

— Pourquoi l'as-tu frappé ? s'écria Catti-Brie, scandalisée.

Wulfgar n'en eut cure, mâchonnant avec application.

Drizzt s'accroupit près de Kierstaad, qui gisait face contre terre, et l'aida à s'asseoir. Régis offrit de le débarbouiller avec un mouchoir... et essuya discrètement ses larmes afin de préserver sa fierté.

Quand le jeune homme fit mine de retourner vers Wulfgar, Drizzt le retint.

— Il doit comprendre..., chuchota Kierstaad.

— C'est une affaire entre Berkthgar et lui, rappela le Drow. Wulfgar a fait son choix.

— Les liens du sang passent avant l'amitié. C'est la coutume parmi nos tribus. Et le clan de Wulfgar a besoin de lui !

Drizzt inclina la tête. Une expression rusée s'afficha sur ses beaux traits fins.

— Vraiment ? Les tribus ont-elles besoin de Wulfgar... Ou est-ce *Kierstaad* qui a besoin de lui ?

— Que voulez-vous dire ? bougonna le jeune homme, embarrassé.

— Berkthgar est irrité contre vous. Tant qu'il commandera les tribus, vous n'aurez rien à espérer.

— Ma position au sein des tribus n'est pas en cause ! Mon peuple a besoin de Wulfgar ; je viens le chercher.

— Il ne vous suivra pas, dit Régis. Et vous n'y pouvez rien.

Frustré, Kierstaad serra les poings. Il fit mine d'avancer vers Wulfgar.

Drizzt s'interposa.

— Il ne vous suivra pas, répéta-t-il. Berkthgar en personne l'a supplié de rester et de diriger les tribus. Selon les propres termes de Wulfgar, sa place n'est pas là.

— Au contraire !

— Non ! rugit Drizzt, forçant le jeune homme à l'écouter. En vérité, apprendre qu'il refusait d'assumer cette charge m'a soulagé. Car moi aussi, j'ai à cœur le bien-être des tribus du Val Bise !

Même Régis fut surpris par un tel raisonnement.

— Vous doutez que Wulfgar soit le chef qu'il nous faut ? demanda Kierstaad, incrédule.

— Pas dans son état, confirma Drizzt. L'un de nous peut-il évaluer les supplices que cet homme a endurés ? Ou estimer leurs effets aussi pernicieux que persistants ? Wulfgar n'est vraiment pas capable de commander en ce moment. Il a assez de mal à se contrôler lui-même !

— Mais nous sommes sa famille, insista Kierstaad. (A ses propres oreilles, l'argument parut bien faible.) Si Wulfgar souffre, il devrait s'en remettre à nos bons soins.

— Et comment guéririez-vous les plaies qui lui déchirent le cœur ? demanda Drizzt. Non, Kierstaad. Vos intentions méritent le respect, mais vous nourrissez de vains espoirs. Wulfgar a besoin de se retrouver, et de se rappeler tout ce qui a compté jadis à ses yeux. Il a besoin de temps, et de ses amis. Je ne nie pas l'importance des liens du sang. Mais en toute honnêteté, ceux qui l'aiment le plus sont ici, pas dans la toundra.

Kierstaad ne trouva rien à répondre.

— Nous reviendrons avant l'arrivée de l'hiver, je pense, continua le Drow. Ou au printemps, au plus tard. Entouré de ses amis, Wulfgar retrouvera son âme. Et peut-être, de retour au Val Bise, sera-t-il alors prêt à diriger les tribus. Pour votre plus grand bien, en effet.

— Et sinon ?

Drizzt haussa les épaules. Quelles garanties pouvait-on offrir en pareilles circonstances ?

— Veillez bien sur lui, dit Kierstaad.

Le Drow hocha la tête.

— Jurez-le ! insista le jeune barbare.

— Nous veillons les uns sur les autres. Depuis que nous avons reconquis le trône de Bruenor à Mithril Hall il y a près de dix ans, il en a toujours été ainsi.

Le regard tourné vers Wulfgar, indifférent à tout, Kierstaad ajouta :

— Ma tribu campe au nord, non loin d'ici. Je l'aurai vite rejointe.

Il tourna les talons.

— Restez au moins pour la nuit, proposa Drizzt.

— Maître Camlaine a de la bonne nourriture, ajouta Régis.

Pour que le petit homme, friand de bonne chère, offre de partager son repas, il fallait vraiment que Kierstaad l'ait ému !

Ce dernier, visiblement trop embarrassé à l'idée de rester en compagnie de Wulfgar après son humiliation, secoua la tête et s'éloigna dans la toundra.

— Drizzt, lâcha Régis, tu devrais flanquer une bonne raclée à notre tête de lard...

— A quoi cela nous avancerait-il ?

— Ça lui apprendrait au moins l'humilité.

— Quand Kierstaad l'a rattrapé par un bras, sa réaction a été un pur réflexe.

Le Drow commençait à mieux comprendre l'état d'esprit du barbare. Wulfgar avait frappé son compatriote presque machinalement... Drizzt se souvint de son entraînement de guerrier quand il fréquentait Melee-Magthere, l'école d'arts martiaux de Menzoberranzan. Dans un milieu où le danger guettait en permanence, les réactions instinctives étaient monnaie courante. Si Wulfgar était de nouveau avec ses amis, en relative sécurité, d'un point de vue émotionnel, il restait prisonnier d'Errtu. Et ses boucliers psychiques étaient toujours prêts à repousser les intrusions mentales du démon et de ses âmes damnées.

— C'était instinctif, rien de plus, insista le Drow.

— Il aurait pu s'excuser, dit Régis.

Non, songea l'elfe noir.

Un éclair fit soudain briller ses prunelles couleur lavande.

— A quoi penses-tu ? s'enquit le petit homme.

— Aux géants, fit Drizzt, matois. Et aux dangers pour les caravanes itinérantes.

— Tu crois que ces monstres nous attaqueront cette nuit ?

— Ils doivent être retournés dans les montagnes, mais à mon avis, ils préparent un raid. Et nous serions repartis depuis longtemps avant qu'ils arrivent...

— « Serions » ? souffla Régis, fasciné par le regard brillant de son ami, tourné vers les monts enneigés. Qu'envisages-tu ?

— On ne peut pas attendre le retour des géants. Mais je ne souhaite pas non plus abandonner les caravanes au péril qui les guette. Wulfgar et moi devrions partir cette nuit.

Régis en resta bouche bée.

Son expression éberluée amusa Drizzt.

— Montolio, mon mentor, m'a beaucoup appris sur l'art de l'équitation.

— Quoi ? s'exclama Régis, incrédule. Tu comptes prendre les deux chevaux des marchands pour aller dans les montagnes avec Wulfgar ?

— Non ! Dans sa jeunesse, Montolio était un sacré cavalier. Avant de perdre la vue, naturellement... Il montait les bêtes les plus puissantes, les moins brisées par la selle... Il avait surnommé sa technique « le Mors aux Dents »... Il s'agissait de calmer assez les étalons ou les cavales pour les rendre relativement malléables. Dans un champ, il les attachait par un très long licou et leur faisait décrire de larges cercles.

— Cela n'aurait-il pas dû renforcer leur sauvagerie ? s'étonna Régis, qui s'y connaissait fort peu en chevaux.

Drizzt secoua la tête.

— Montolio me l'a expliqué : les bêtes les plus fortes ont de l'énergie à revendre. Il suffit de la leur faire dépenser avant de les monter.

Régis haussa les épaules, croyant son ami sur parole.

— Quel rapport avec Wulfgar ? (Aussitôt, il fit le rapprochement.) Ah, je vois... L'emmener se dépenser dans les montagnes lui fera le plus grand bien !

— Il a sans doute besoin d'un bel affrontement. Une grosse bagarre pour se défouler... Et je souhaite vraiment débarrasser la région des géants. Ce serait faire d'une pierre deux coups.

— Gagner les montagnes vous prendra des heures. Davantage même, si les traces des monstres sont difficiles à suivre.

— Mais si vous restez avec Camlaine, comme promis, nous couvrirons très vite la distance. D'ici deux ou trois jours, Wulfgar et moi serons de retour et nous vous rejoindrons sans peine. Bien avant que vous contourniez l'Epine Dorsale du Monde, je parie !

— Bruenor détestera être sur la touche.

— Alors ne lui dis rien. Pas plus qu'à Catti-Brie, d'ailleurs, ajouta Drizzt avant que Régis puisse protester. Explique-leur seulement que Wulfgar et moi sommes partis pendant la nuit. Et que j'ai promis de revenir dans deux jours.

Le petit homme soupira. Jadis, Drizzt s'était éclipsé ainsi, lui faisant promettre de ne rien dire. Folle d'inquiétude, Catti-Brie avait presque battu Régis pour lui arracher la vérité !

— Pourquoi est-ce toujours à moi de garder le secret ? gémit-il.

Drizzt gloussa.

— Pourquoi fourres-tu toujours ton nez là où il ne faut pas ?

Le Drow rejoignit le barbare, à l'autre bout du camp. Morose, Wulfgar jetait des cailloux au loin. Il ne trahissait aucun remords, retranché derrière sa colère.

Drizzt compatissait de tout son cœur. Il devinait les tourments qui agitaient le barbare. Contre ses souvenirs, Wulfgar ne trouvait de refuge que dans la hargne.

L'elfe noir s'accroupit devant le jeune homme, muré dans son désespoir, et chercha à croiser son regard.

— Te souviens-tu de notre première bataille ?

Wulfgar leva les yeux.

— Tu veux me donner une autre leçon... C'est ça ?

Il était prêt à relever tous les défis...

Son attitude blessa le Drow.

Sept ans plus tôt, à Mithril Hall, le comportement du barbare avec Catti-Brie avait fait sortir l'elfe noir de ses gonds. Tous deux s'étaient violemment affrontés. Drizzt en était sorti vainqueur.

Dix ans plus tôt, quand Bruenor avait capturé et asservi le jeune barbare, l'elfe noir et Wulfgar s'étaient mesurés pour la première fois. Le roi des nains avait chargé Drizzt d'entraîner son prisonnier. Pour le barbare imbu de lui-même, l'enseignement n'avait pas été dépourvu d'humiliations, surtout au début.

Mais Drizzt ne se référait pas à ces leçons-là.

— Je parlais de la première fois où nous avons combattu l'ennemi, précisa-t-il. (Le front plissé, Wulfgar se remémora la scène.) Biggrin et les verbeeg... Guenhwyvar, toi et moi avions pris d'assaut l'antre des géants...

La colère quitta le barbare. Avec un pâle sourire, il hocha la tête.

— Ce Biggrin était un dur à cuire... Combien d'estocs avons-nous dû porter à ce colosse avant d'en venir à bout ? Et c'est toi qui lui as donné le coup de grâce avec...

— C'était il y a bien longtemps, coupa Wulfgar, redevenu morose.

— Mais te souviens-tu ? insista Drizzt, tout sourire.

— Pourquoi... ?

Intrigué, le barbare dévisagea l'elfe noir. Cela faisait bien longtemps également qu'il n'avait plus vu le Drow de cette humeur... Prêt à en découdre avec l'univers entier, au mépris du danger.

Ah, la belle fougue !

Wulfgar aimait cette attitude.

— Des géants s'apprêtent à fondre sur des voyageurs égarés, dit Drizzt. Puisque nous avons accepté de cheminer en compagnie de maître Camlaine, nous sortirons moins vite du Val. Alors j'ai pensé qu'une petite incursion, histoire de mettre les maraudeurs hors d'état de nuire, serait tout indiquée.

Pour la première fois depuis sa libération, Wulfgar manifesta un semblant de vivacité.

— En as-tu parlé aux autres ?

— Non, c'est entre toi et moi. Et Guenhwyvar, bien entendu. Elle n'apprécierait pas qu'on l'empêche de s'amuser.

Bien après le coucher de soleil, quand Catti-Brie, Régis et Bruenor se furent endormis, les deux quittèrent le camp.

Nyctalope, le Drow n'avait aucun mal à s'orienter sous le firmament étoilé. Il retrouva l'endroit où les empreintes d'un géant et celles du chariot se croisaient. Puis il tira de sa bourse une statuette en onyx, qu'il posa avec révérence sur le sol.

— Viens à moi, Guenhwyvar...

Une brume se forma autour de la figurine et s'épaissit.

Jusqu'à prendre la forme d'une panthère.

Qui s'anima et leva vers le Drow de grandes prunelles brillantes d'intelligence.

Une intelligence bien supérieure à celle des félins.

Drizzt désigna les empreintes laissées par le géant.

La panthère s'élança, les moustaches frémissantes.

Dès qu'elle rouvrit les yeux, la jeune femme sut que quelque chose clochait. Le camp était tranquille ; les gardes assis sur le marchepied du chariot bavardaient à voix basse.

Catti-Brie se souleva sur les coudes. Le feu de camp projetait des ombres sur les couvertures des dormeurs. Régis était pelotonné si près des braises que c'était miracle qu'il ne s'enflammât pas.

Bruenor dormait un peu plus loin.

La jeune femme s'assit sans pouvoir apercevoir ses autres compagnons.

Elle voulut réveiller son père, mais se ravisa. Régis semblait toujours tout savoir...

Après l'avoir vainement secoué, elle lui botta l'arrière-train.

— Eh-là ! protesta le petit homme, se redressant soudain.

— Où sont-ils partis ?

— Que se passe-t-il, ma fille ? demanda la voix ensommeillée de Bruenor.

— Drizzt et Wulfgar ne sont plus là.

Catti-Brie riva son regard perçant sur Régis, qui se tortilla, mal à l'aise.

— Pourquoi saurais-je où ils sont allés ?

A demi vêtu, Bruenor les rejoignit. Aussi inquiet que sa fille, il semblait tout disposé à s'en prendre aussi à Régis.

— Drizzt a dit qu'il serait de retour avec Wulfgar d'ici un ou deux jours, admit le petit homme avec un gros soupir.

— Et où sont-ils allés ? insista Catti-Brie.

Régis haussa les épaules. Elle l'empoigna par le col et le souleva de terre.

— Veux-tu de nouveau jouer à ce jeu-là avec moi ?

— Je suppose qu'ils veulent rattraper Kierstaad, afin que Wulfgar s'excuse ! lança Régis. Ce serait la moindre des choses !

— C'est certain...

Satisfait de cette explication, Bruenor s'apprêta à retourner se coucher.

Catti-Brie secoua la tête.

— Ça m'étonnerait... Wulfgar n'est pas d'humeur à reconnaître ses torts. Il n'est sûrement pas parti avec Drizzt à la recherche de Kierstaad. (Elle lâcha Régis.) Dis-nous la vérité ! Si on doit parcourir ensemble la moitié des Royaumes, il faudra pouvoir se fier les uns aux autres.

Le petit homme soupira. Comment ignorer la logique de l'argument... ou le regard implorant de la belle jeune femme ?

— Ils sont sur la piste des géants...

— Bah ! maugréa Bruenor, tapant le sol de ses pieds nus. Par la cervelle d'un orc à cornes ! Pourquoi ne pas nous l'avoir dit plus tôt ?

— Parce que vous auriez voulu les accompagner !

— Tu en sais toujours plus long que tu n'en dis ! grogna Catti-Brie, exaspérée. Comme quand Drizzt a quitté Mithril Hall.

— J'écoute, c'est tout...

— Habille-toi.

Les yeux ronds, Régis regarda la jeune femme.

— Tu as entendu ma fille ! rugit Bruenor.

— Vous voulez lever le camp... en pleine nuit ?

— Ce ne sera pas la première fois que je tirerai ce fichu elfe noir de la gueule d'un yéti de la toundra ! bougonna le nain.

— De géants, rectifia Régis.

— Encore pire ! tonna Bruenor, achevant ainsi de réveiller le camp.

— Mais on ne peut pas partir ! protesta Régis. (Il désigna d'un geste les marchands et leurs gardes.) On a promis de rester... Et si les géants nous prenaient à revers ?

A cette idée, Calmaine et les siens eurent l'air inquiet. Catti-Brie, elle, traita cette notion ridicule par le mépris. Elle regarda Régis et ses affaires avec une expression éloquente. Le petit homme avait emporté une belle masse d'armes à tête de licorne, forgée par un des nains de Bruenor. Elle était en mithril et en acier noir, avec des saphirs sertis pour figurer les yeux.

Soupirant à cœur fendre, Régis s'exécuta de mauvaise grâce.

En moins d'une heure, le trio s'élança sur les traces de Drizzt et de Wulfgar. Catti-Brie portait un serre-tête magique qui lui permettait de se repérer dans le noir. Mais elle n'avait pas l'acuité visuelle naturelle de Drizzt.

Ni son entraînement guerrier de très haut niveau.

— Ils ont dû se faire croquer par les yétis, grommela Régis.

— Si ça t'arrive aussi, je viserai haut, fit Catti-Brie, son arc au poing. Au-dessus du ventre. Comme ça, je ne te trouerai pas la panse par mégarde...

Régis continua de bougonner, pour la forme. Mais il baissa la voix, soucieux de ne plus s'attirer les sarcasmes de la jeune femme.

Aux petites heures de l'aube, Wulfgar et Drizzt s'engagèrent sur les contreforts de l'Epine Dorsale du Monde.

Le barbare déclara plus d'une fois qu'ils s'étaient égarés. Mais Drizzt avait foi en sa panthère.

Guenhwyvar surgissait régulièrement au-dessus des deux guerriers, silhouette noire se découpant au milieu des ombres.

A la pointe du jour, ils virent une empreinte distincte de géant le long d'une sente.

Triomphant, Drizzt se tourna vers son compagnon.

— Elle date d'une heure à peine...

Fin prêt pour la bagarre, Wulfgar hocha la tête.

Suivant Guenhwyvar, les amis continuèrent leur ascension. Parvenus au sommet, ils découvrirent un canyon très encaissé. Au sud, une faille assez large ouvrait sur l'extérieur.

Les géants s'étaient-ils établis là, au milieu des rocailles ?

Wulfgar repéra de la fumée à une cinquantaine de pas.

Drizzt grimpa sur un arbre. Les géants étaient bien là !

Le Drow étudia la topographie. En restant en hauteur, il était possible de contourner le camp.

— Wulfgar, peux-tu atteindre les géants d'où tu es ?

Le barbare hocha la tête.

L'elfe noir longea le canyon. Au-dessus de lui, Guenhwyvar le suivait.

Drizzt sautait de saillie en saillie tandis que la panthère procédait par bonds puissants et souples. En une demi-heure, le Drow passa de la paroi nord à la paroi est, se rapprochant considérablement de ses proies.

Puis il fit signe à Wulfgar. Le moment venu, il bondirait, cimeterres au poing. Guenhwyvar était perchée à une trentaine de pieds au-dessus des géants.

Drizzt cria.

La panthère rugit avec assez de force pour être entendue à des lieues à la ronde.

Les géants bondirent sur leurs pieds.

Invoquant Tempus, le dieu barbare de la guerre, Wulfgar brandit Aegis-fang... et hésita.

Tempus... Depuis combien d'années ne lui avait-il plus adressé de prières ? La divinité ne l'avait-elle pas abandonné dans les gouffres des Abysses ?

Emporté par un tourbillon d'émotions, Wulfgar replongea dans les ténèbres d'Errtu.

Laissant Drizzt terriblement exposé.

Malgré tous leurs talents, Catti-Brie et Bruenor n'avaient pas les atouts dont disposaient Drizzt et sa panthère.

Mais quand ils entendirent Gwen rugir, ils surent qu'ils étaient sur la bonne voie.

Le père et la fille coururent comme des fous. Loin de chercher à les suivre ou à soutenir leur allure, Régis bifurqua vers le nord. Se battre contre des géants ne lui disait rien qui vaille. Cela dit, il voulait prêter main-forte à ses amis. S'il gagnait un bon point d'observation, en hauteur, il pourrait mieux les diriger.

Avec un peu de chance, il lancerait même des pierres sur les monstres. Il était plutôt doué avec une fronde.

Un rien distrait, le petit homme contourna des broussailles et se heurta à un tronc d'arbre.

Mais... depuis quand les arbres chaussaient-ils des bottes ?

Deux géants bondirent pour attaquer la panthère noire.

Ils avisèrent le Drow, qui fondait sur eux...

Drizzt avait compté sur Wulfgar pour en abattre un ou pour au moins faire diversion.

Faute de quoi, l'elfe noir dut improviser. Il recourut à ses pouvoirs magiques – le peu qu'il lui restait après des années passées à la surface –, et invoqua un globe de ténèbres. Profitant de l'aveuglement temporaire de ses proies, Drizzt fit tournoyer ses cimeterres, Etincelle et Mortglace.

Il visa les jambes des colosses.

Les géants se baissèrent et frappèrent à l'aveuglette, au risque de se blesser avec leurs propres massues.

Mais eux pouvaient survivre à de tels coups.

Pas Drizzt.

Damné Errtu ! Combien de tourments Wulfgar avait-il déjà endurés ? Combien d'agressions, tant corporelles que psychiques ?

Wulfgar sentit les pinces de Bizmatec se refermer sur son cou, puis les coups de poing qu'Errtu faisait pleuvoir sur lui tandis qu'il gisait dans la poussière... Et la brûlure des flammes dont s'entourait le démon quand il l'attirait à lui... Le contact séduisant de la succube... sans doute le pire des démons.

A présent, Drizzt avait besoin de lui. Wulfgar le savait. La bataille faisait rage. Aegis-fang au poing, il aurait dû mener la charge, perturber les géants, voire en foudroyer un avant que Drizzt entre en scène...

Plus que tout au monde, il voulait aider son ami. Mais ses yeux ne voyaient pas l'elfe aux prises avec les géants.

Ils contemplaient les brumes roulant sur le domaine d'Errtu...

— *Damné !* cria le barbare, au désespoir.

Il se mura derrière une colère noire, cherchant à repousser les visions infernales.

Mesurant dans les vingt pieds, le géant toisait Régis de toute sa hauteur.

Le petit homme baissa les yeux sur sa masse d'armes minuscule. Avec ça, il ferait moins d'effet à son adversaire qu'une piqûre d'insecte !

Le géant tendit une main vers Régis.

— Que vois-je là ? Bah, ça me remplira une dent creuse...

Régis crut qu'il allait tourner de l'œil.

Il sortit de sous sa tunique le rubis qu'il portait en sautoir.

— C'est joli, non ?

— Pour ma part, répondit le géant facétieux, j'aime bien la bouillie de rongeurs...

Il leva un pied, s'apprêtant à aplatir sa proie. Couinant de terreur, Régis voulut s'enfuir...

Mais il fut vite bloqué par l'autre pied du géant.

Drizzt frappa les jambes de son adversaire. Le monstre rugit de douleur.

Le cri de Wulfgar lui fit écho, vite suivi par une explosion. Il avait enfin dû lancer Aegis-fang !

Un géant jeta une pierre. L'autre contourna le globe de ténèbres, découvrit son ennemi et éructa.

— Espèce de rat à la peau noire !

Il brandit sa massue.

Sautant de son perchoir, Guenhwyvar vola dans les airs, projectile de plus de six cents livres, et atterrit toutes griffes dehors sur les épaules du colosse.

Elle le fit basculer à la renverse, au fin fond du canyon, manquant de peu tomber à son tour.

Puis, d'un autre bond, la panthère rejoignit Wulfgar, qui se battait toujours contre ses propres démons.

S'arrachant enfin à l'emprise d'Errtu, Wulfgar vit Guenhwyvar lutter pour ne pas basculer à son tour dans le vide. Il reconnut le globe de ténèbres invoqué par Drizzt et identifia les éclairs bleus qui jaillissaient à chaque coup de cimeterre.

Une pierre lancée par un géant heurta la paroi du canyon avec un vacarme infernal. Une autre faillit faire perdre l'équilibre à Wulfgar. Le barbare repéra ses agresseurs : trois géants campés sur une saillie en contrebas, à droite.

Ils devaient sortir d'une grotte.

Rugissant, Wulfgar abattit Aegis-fang sur les roches et bombarda les géants d'éclats minéraux.

Ebahis, les monstres virent l'arme jaillir vers eux pour faire voler en éclats des morceaux de la paroi où ils s'adossaient. Très impressionnés, ils cherchèrent à l'attraper au vol malgré le danger.

Mais Aegis-fang revenait toujours de son propre chef entre les mains de Wulfgar.

Les trois monstres finirent par succomber.

Catti-Brie et Bruenor arrivèrent au bord du canyon, du même côté que Wulfgar, mais plus au sud. Ils virent Aegis-fang fendre l'air et frapper.

Puis la jeune femme remarqua un autre géant, encore plus grand que ses congénères, campé sur la paroi nord. Tenant un énorme rocher à bout de bras, il s'apprêtait à le lâcher sur Wulfgar.

Il risquait même de détruire la corniche où se tenait le barbare.

La jeune femme cria...

Du coin de l'œil, Drizzt vit sa panthère se rétablir et sauter sur une autre corniche, en contrebas.

L'adversaire de l'elfe noir se fatiguait rapidement, une jambe entaillée par de nombreuses blessures. Drizzt devait maintenant éviter de glisser sur le sang poisseux...

Le cri de Catti-Brie le surprit tant qu'il en perdit le rythme. Le géant cueillit l'elfe noir du bout de sa botte, l'envoyant rouler jusqu'au bord de la corniche.

Aussitôt rétabli, Drizzt courut vers la paroi et en gravit une dizaine de pieds avant que le géant, les yeux rivés sur le sol, songe à le poursuivre.

Drizzt se laissa tomber sur les épaules du monstre, lui enroula les jambes autour du cou et lui plongea ses cimeterres dans les yeux.

Le monstre se redressa en beuglant à tue-tête. Roulant sur son dos, l'elfe regagna le sol et courut jusqu'au bord de la corniche.

Battant l'air de ses mains, le géant, aveuglé par le sang, se guida à son ouïe pour repérer le Drow.

Mais Drizzt le contourna sans peine et, de ses cimeterres pointés, le fit à son tour basculer dans le vide.

Wulfgar se retourna en entendant Catti-Brie crier. Mais il n'eut pas le temps de réagir.

Un bloc de pierre vola devant Wulfgar, puis devant la jeune femme qui encochait une flèche d'argent à son arc et enfin devant Bruenor, pour achever sa course à l'angle sud de la corniche visée... où il percuta un géant à la poitrine, le faisant basculer dans le vide.

Ebahie, Catti-Brie remarqua Régis, confortablement perché sur les épaules du géant à la fronde...

— Le petit rat... ! chuchota-t-elle, admirative.

Le géant, Wulfgar et Catti-Brie se tournèrent vers une autre corniche, en contrebas. Des éclairs se succédaient, ponctués par le fracas des pierres que lançaient de nouveaux géants.

Le marteau magique « cueillait » ces vilaines « fleurs » les unes après les autres.

Bruenor eut à son tour l'occasion d'écraser la tête d'un géant blessé.

Il pourrait ajouter un cran à sa hache.

CHAPITRE III

LE MIROIR DÉPLAISANT

— Enquêter sur lui, vous devriez, dit Giunta le Devin à La Main. Du danger, je sens. Tous deux, à quoi nous en tenir nous savons. Même si prononcer son nom malheur porte.

La Main bougonna une vague réponse et s'éloigna.

Giunta et sa syntaxe de traviole ! Le devin prétendait que ses idiosyncrasies grammaticales lui venaient de ses origines, à savoir un autre plan d'existence. La Main en doutait fort. Une façon comme une autre d'impressionner les naïfs, ça oui !

Cela dit, Giunta avait son utilité. Parmi la dizaine de nécromanciens que comptait la guilde de Basadoni, il était le plus doué pour résoudre les énigmes. En étudiant les pièces de monnaie rapportées par Taddio, Giunta avait presque entièrement reconstitué la conversation entre La Main, Kadran et Sharlotta...

Puis il avait plissé le front...

A l'instar de La Main, il connaissait Artémis Entreri. A Calimport, il était de notoriété publique que le tueur était parti aux trousses de l'elfe noir responsable de la chute du pasha Pook.

Le Drow vivait dans une communauté naine, non loin de Sylverymoon.

La Main se savait à un tournant décisif de l'affaire. Il était temps de passer des manigances magiques à des méthodes plus conventionnelles.

Il contacta ses espions. La guilde de Basadoni ouvrirait grands ses yeux et ses oreilles...

Il comptait s'entretenir ensuite avec Sharlotta et Kadran, mais il se ravisa. Les conseils de la jeune femme sur l'adversité avaient du bon...

Mieux valait que Sharlotta en sache le moins possible.

Pour un homme qui avait connu la gloire, descendre dans une telle auberge était indigne. Entreri n'avait-il pas été, même brièvement, un chef de guilde ? N'aurait-il pas pu, aujourd'hui encore, soutirer de petites fortunes aux seigneurs de Calimport pour services rendus ?

Mais Artémis Entreri se moquait de l'inconfort. Une épaisse poussière couvrait le rebord des fenêtres et les dames de petite vertu menaient grand tapage avec leurs clients dans les chambres voisines. Le tueur n'en avait cure !

Il réfléchit à sa situation. Depuis son arrivée à Calimport, il s'était montré trop insouciant. Il n'aurait pas dû laisser le gringalet l'importuner dans une des rues qui avaient été *son* territoire, ni montrer sa dague au « mendiant » de garde devant la résidence du défunt Pook.

Avait-il inconsciemment souhaité qu'on le reconnaisse ?

Pourquoi ?

Quelle place reviendrait à Artémis Entreri au sein des nouvelles hiérarchies du crime ?

A laquelle aspirait-il vraiment ?

En attendant de trouver des réponses, il ne pouvait pas laisser ses ennemis le surprendre garde baissée.

Minuit... L'assassin passa une cape sombre et ressortit.

Les bruits, les odeurs et les lieux le ramenèrent au temps de sa jeunesse, où il était un véritable oiseau de nuit...

Les regards s'attardaient un peu trop sur lui à son goût. On ne manifestait pas tant d'intérêt, d'ordinaire, à un négociant étranger.

Un parmi tant d'autres !

A quelle vitesse l'information circulait-elle ! Entreri se savait déjà observé, sans doute par différentes guildes.

Chaque jour, la faune cosmopolite de Calimport vivotait sur le fil du rasoir. Elle avait développé une acuité sensorielle inconnue dans bien des cultures. Les gens des rues utilisaient des systèmes de communication remarquablement élaborés : les cris, les sifflets, les signes de tête et jusqu'aux simples postures...

Remontant une ruelle à la placidité trompeuse, Entreri n'était pas dupe. Il était temps de passer à l'action.

Après quelques tours et détours, il atteignit l'avenue Paradis...

On y faisait ouvertement commerce d'herbes et de décoctions, d'armes, de biens volés et de chair humaine. Caricature vivante du raffinement, l'avenue était le haut lieu de l'hédonisme vu par la lie de l'humanité.

S'il avait récolté quelques pièces sonnantes et trébuchantes, un mendiant pouvait s'offrir assez d'herbes pour se sentir, quelques instants, le roi du monde... Ah, s'entourer de belles de nuit puis s'imbiber d'assez de drogues pour oublier les pustules qui rongeaient sa pauvre carcasse !

Dans ce quartier, les miséreux de tout poil pouvaient vivre pour quelques heures l'existence d'un pasha.

Tout était poudre aux yeux, ravalements de façade sur des ruines infestées de rats, oripeaux de luxe sur des fillettes terrifiées au regard vide... Les parfums capiteux couvraient les relents de la sueur et de la crasse.

Ces merveilles de pacotille contentaient la faune des rues, la misère étant leur seule *réalité*.

Entreri remonta l'avenue, mécontent de son humeur introspective. Sur son chemin, il crut reconnaître plus d'une catin, vieillissante et pathétique. Il ne s'était jamais abaissé à succomber aux tentations malsaines du « Paradis ». Considérant les plaisirs charnels comme une faiblesse, Entreri acceptait uniquement la générosité des pashas qui lui offraient la jouissance de leurs harems. Il méprisait les alcools et les hallucinogènes susceptibles d'émousser son esprit et se défiait des prostituées, même si elles se révélaient souvent d'excellentes sources d'information. Comment se fier à des dames capables de se vendre au premier venu ?

Entreri regarda travailler les tire-laine.

Amusé, il se découvrit dans le collimateur d'une crapule à la petite semaine. Dissimulant un sourire, il s'approcha du jeune fou.

Ça ne fit pas un pli : le malandrin se plaça « discrètement » derrière sa proie et la bouscula pour mieux lui subtiliser sa bourse.

La seconde suivante, il se retrouva à genoux, les doigts tordus. Une douleur raffinée lui déchira les nerfs du bras et les tendons de l'épaule. D'un geste aussi vif que discret, le tueur sortit sa dague et lui entailla la paume. Puis il relâcha légèrement sa prise.

La dague magique d'Entreri commença à aspirer les forces vives du voleur, qui s'affaiblit rapidement. Les yeux écarquillés, il ouvrit la bouche pour crier au secours...

Aucun son ne sortit de sa gorge.

— Tu sens le néant qui t'appelle, chuchota Entreri. L'impuissance et le désespoir... Je tiens entre mes mains plus que ta vie : ton âme !

L'homme était tétanisé.

— Y a-t-il des petites gens par ici ? (Entreri relâcha encore l'emprise.) Alors ?

Tremblant comme une feuille, de sa main libre, le voleur désigna des maisons qu'Entreri connaissait bien.

— Si je te revois sur mon chemin, tu es un homme mort ! promit Artémis, glacial.

Le voleur blêmit.

Enfin libéré, il s'éloigna en titubant.

Secouant la tête, Entreri se redemanda quelle folie l'avait poussé à revenir dans cette ville minable...

Si le petit homme qu'il cherchait était encore en vie, Entreri devinait dans quel établissement il se tapirait. Le *Cuivre Ante* était jadis la maison de jeux favorite des petites gens... C'était surtout à cause de son bordel, à l'étage, et des liqueurs dispensées aux initiés dans l'arrière-salle.

Entrant dans l'auberge bondée, Entreri étudia la clientèle. Aujourd'hui, à quoi pouvait ressembler son ami d'antan ? Adorant la bonne chère bien grasse, il avait sûrement pris du ventre. Et avec sa position, il devait pouvoir s'offrir dix repas par jour !

Entreri s'assit à une table. Six petits hommes jouaient aux dés avec la dextérité des initiés. Le tueur mesura sans peine les variations de gains et de pertes. Amusé, il comprit que tous trichaient. C'était à qui s'emparerait du plus gros magot au nez et à la barbe de ses congénères ! Comme les six lascars étaient à peu près de force égale, la partie pouvait durer toute la nuit. Et les joueurs repartiraient avec à peu près autant d'argent qu'ils en avaient misé.

Attrapant des dés au vol, l'assassin lança quatre pièces d'or sur la table pour entrer dans le jeu. Avant que les dés qu'il avait lâchés aient fini de rouler, le petit homme le plus proche tendit la main vers l'argent. Plus rapide, Entreri lui saisit le poignet.

— Mais vous avez perdu ! protesta le malheureux.

Ses compagnons s'arrêtèrent pour lorgner l'humain.

— Je ne jouais pas, annonça Entreri.

— Vous jetez des pièces sur la table et vous faites rouler les dés, lança un autre petit homme. Ça s'appelle jouer !

— Je joue quand je dis que je joue. Pas avant. Et je relève les paris clairement annoncés avant de faire rouler mes dés.

— Vous avez bien vu comment on jouait, protesta un troisième petit homme.

D'une main levée, Entreri le fit taire.

— Vous voulez ces pièces d'or ? Elles sont à vous, promit le tueur. Répondez à une question simple.

— Eh bien, maître...

— Do'Urden, compléta Entreri. Maître Do'Urden de Sylverymoon.

Les petits hommes le dévisagèrent. Ce nom bizarre leur était familier. Mais oui... C'était celui du ténébreux protecteur du célèbre Régis !

— Votre teint s'est drôlement..., commença un petit homme d'un ton badin. Euh...

Sous le regard menaçant d'Entreri, il ravala ses paroles malheureuses.

— Hum... Vous aviez une question, maître...

— Je cherche l'un de vous. Un vieil ami nommé Dondon Tiggerwillies...

Feignant la perplexité, le joueur secoua la tête.

C'était compter sans la sagacité de son interlocuteur.

Une lueur, dans son regard, n'avait pas échappé à l'humain.

— Tout le monde connaît Dondon, souligna Entreri. A voir votre dextérité aux dés, vous êtes un habitué de la maison... Si Dondon est mort, je veux entendre l'histoire. Sinon, je veux le rencontrer et lui parler.

— Il est mort ! lança un des joueurs.

Mais son ton et la rapidité de son débit empestaient le mensonge.

A Calimport, la communauté des petites gens, assez réduite, se serrait les coudes.

— Qui l'a tué ? demanda Entreri, jouant le jeu.

— Il est tombé malade...

— Où est sa sépulture ?

— Qui peut s'en offrir une à Calimport ? lança un autre menteur.

— On a jeté son corps à la mer, ajouta un troisième.

Amusé par le conte qu'ils improvisaient, Entreri hocha gravement la tête.

Rirait bien qui rirait le dernier.

Le tueur lâcha le petit homme qu'il retenait par le poignet.

Aussitôt, ce dernier tendit le bras vers les pièces. En un clin d'œil, une dague jaillie de nulle part se ficha entre sa main avide et l'or.

— Vous aviez promis !

— De payer pour un mensonge ? Je sais que Dondon est vivant. Je l'ai aperçu ici pas plus tard qu'hier.

Les menteurs se regardèrent, déconfits. Comment avaient-ils pu tomber dans le panneau ?

— Alors pourquoi avoir parlé de lui au passé ?

— Parce que vous ne révélez jamais où se trouvent les vôtres à ceux qui ne sont pas de votre race, répondit le tueur. Je n'ai aucun compte à régler avec Dondon. Nous sommes de vieux amis. Trop d'années ont passé sans qu'on se revoie... A présent, dites-moi où je pourrais le trouver, et prenez votre argent.

Un joueur s'humecta les lèvres, les yeux rivés sur les pièces d'or. Sans un mot, il désigna une porte, au bout de la salle.

Entreri reprit sa dague et esquissa un salut avant de se lever. Il traversa la taverne d'une démarche souple et assurée puis poussa la porte sans daigner y toquer.

Il découvrit un petit homme obèse, plus large que haut, affalé sur une montagne de coussins.

Entreri remarqua à peine les petites femmes en tenue légère debout près du personnage.

C'était bien Dondon Tiggerwillies ! Métamorphosé par le poids des ans et des livres de graisse, c'était jadis le filou le plus matois de Calimport.

— Frapper avant d'entrer est toujours apprécié, lâcha l'obèse d'une voix rocailleuse. Et si mes belles et moi avions été... plus intimes ?

Entreri n'essaya pas d'imaginer une scène aussi... improbable.

— Que voulez-vous ? fit le petit homme, engouffrant un pâté dans sa grosse bouche.

L'humain ferma la porte et avança.

— Parler à un vieil associé.

Dondon s'arrêta de mastiquer et dévisagea son visiteur.

Stupéfait, il s'étouffa et dut recracher sa pitance.

Les servantes firent disparaître les déjections sans montrer de dégoût.

— Je ne... C'est-à-dire... Régis n'était pas de mes amis, bafouilla Dondon.

— Du calme ! Je me moque de Régis. Ou du rôle qu'a pu jouer Dondon Tiggerwillies dans la chute du pasha Pook il y a des années... Les rues sont pour les vivants, pas pour les morts, pas vrai ?

— Bien sûr...

Le petit homme tremblait. Il tenta en vain de s'asseoir. Entreri remarqua un bracelet de fer à sa cheville gauche.

— C'est à la mode ces temps-ci..., fit Dondon.

Ignorant l'excuse ridicule, Entreri s'accroupit pour mieux voir.

— Je viens d'arriver... J'espérais que mon vieil associé pourrait m'informer des derniers événements survenus à Calimport...

— Il n'y a rien que tu n'aies déjà entendu des dizaines de fois ! gloussa Dondon.

— Qui tire les ficelles ? Quelles maisons détiennent le pouvoir et de quelles troupes disposent-elles ?

— Je voudrais pouvoir t'aider, mon ami... Jamais je ne te cacherais des choses, crois-le bien ! Mais vois-tu... (Il désigna sa jambe enchaînée.) On me laisse rarement sortir.

— Depuis quand es-tu là ?

— Trois ans.

Incrédule, Entreri regarda l'épave qui lui faisait face.

Le Dondon d'antan aurait pu crocheter ces chaînes avec un cheveu !

Le petit homme leva ses mains boudinées.

— Avec des doigts pareils, je ne peux plus *opérer* comme avant...

Entreri en fut outré. Il était d'humour à délester Dondon de sa couenne à coups de dague !

Il saisit la chaîne et s'apprêta à la crocheter lui-même.

— Arrêtez ! fit une voix féminine haut perchée, derrière le tueur.

Entreri avait déjà senti une présence étrangère. Il pivota, sur la défensive.

Une petite femme se tenait sur le seuil. Vêtue d'une tunique et de braies, elle avait d'épais cheveux châtains bouclés et de grands yeux marron. Les mains écartées, elle ne semblait pas dangereuse.

— Ce serait mal, pour vous comme pour moi !

— Ne la tue pas, Entreri ! implora Dondon.

L'assassin remarqua que les deux autres petites femmes avaient glissé leurs mains dans leurs poches ou sous leurs cheveux, sans doute pour s'emparer d'armes secrètes.

— Dwahvel Tiggerwillies, pour vous servir. Mais non pour satisfaire tous vos caprices..., ajouta la dame avec une moue mutine.

— Tiggerwillies ? répéta Entreri.

— Une cousine, précisa Dondon. La petite femme la plus puissante de Calimport, propriétaire du *Cuivre Ante*.

Dwahvel gardait les mains dans ses poches, très détendue.

— Il va sans dire que je ne suis pas seule... Pas face à un homme comme Artémis Entreri...

Imaginant les petites gens qui devaient se cacher dans la chambre, prêts à intervenir, Entreri sourit. Il se rappela une scène similaire vécue avec Jarlaxle, le mercenaire...

Quand Entreri l'avait affronté, à Menzoberranzan, il avait vite compris une chose : au moindre geste suspect de sa part, des Drows embusqués le cribleraient de carreaux empoisonnés...

Quoi qu'il en soit, Entreri n'était pas venu se battre.

Même si son interlocutrice le défiait...

— Bien entendu...

— Des amis à moi vous ont à l'œil, confirma Dwahvel. Les projectiles de leurs frondes sont traités avec une formule explosive. Leurs effets sont aussi douloureux que dévastateurs.

— Comme c'est ingénieux..., fit l'assassin, tâchant de paraître impressionné.

— C'est ainsi que nous survivons... En sachant tout sur tout le monde.

D'un geste vif – qui lui eût certainement valu la mort à Menzoberranzan –, Entreri fit voler sa dague d'une main à l'autre et la rengaina. Puis il s'inclina.

— Heureux que ma réputation m'ait précédé.

— Jusqu'à ces dernières heures, nous ignorions votre identité, avoua Dwahvel.

— Et comment l'avez-vous découverte ?

Gênée, Dwahvel réalisa qu'elle en avait trop dit.

— Pourquoi voudriez-vous le savoir ? Et pourquoi devrais-je aider l'homme qui a détrôné Régis ? A la tête de la guilde, il aurait défendu au mieux nos intérêts à Calimport !

Entreri ne dit rien.

— Enfin..., soupira Dwahvel. Quoi qu'il en soit, nous avons à parler.

Entreri lança un coup d'œil à Dondon.

— Laissez-le à ses plaisirs, fit Dwahvel. Il n'a aucune envie de partir. De la bonne chère et une galante compagnie, voilà tout ce qu'il veut.

Dégoûté, le tueur lorgna les montagnes de pâtés et de douceurs disposées en rangs serrés. Puis il leva les yeux vers les compagnes du prisonnier.

— Il n'est guère exigeant ! glousse l'une d'elles.

— Somnoler la tête sur nos cuisses lui suffit, ajouta l'autre, aussi amusée.

Entreri suivit Dwahvel, laissant Dondon à sa prison dorée. Ils gagnèrent une salle isolée. Dwahvel se cala dans un siège bas. Mal à l'aise sur une chaise trop petite, l'humain dut étendre les jambes.

— Je reçois rarement des visiteurs qui ne sont pas de ma race, dit Dwahvel en guise d'excuse. Nous n'aimons guère ça...

Elle attendait visiblement qu'il se déclare enchanté d'un tel honneur. Entreri garda le silence.

Il braqua un regard accusateur sur son hôtesse.

— Nous détenons Dondon dans son propre intérêt !

— Il comptait jadis parmi les meilleurs voleurs de Calimport. Et les plus respectés.

— Jadis... Peu après votre départ, il s'est attiré les foudres d'un pasha particulièrement influent. Cet homme étant de mes amis, je l'ai imploré d'épargner Dondon. Nous sommes parvenus à un compromis : mon cousin aurait la vie sauve à condition qu'il ne sorte plus d'ici.

— Mieux vaut une fin digne et rapide que la mort lente à laquelle vous le condamnez !

Dwahvel éclata de rire.

— Ça prouve que vous ne connaissez pas si bien Dondon... Vous avez entendu parler des sept péchés capitaux ? Pour n'être ni fier, ni jaloux ni colérique, Dondon n'est pas moins affligé des quatre derniers : la paresse, l'avarice, la gloutonnerie et la luxure. A condition qu'il ne sorte jamais de mon auberge, il obtient de moi tout ce qu'il veut.

— Alors pourquoi l'enchaîner ?

— Parce qu'il s'enivre souvent et risque de semer la pagaille parmi ma clientèle ou de filer dans la rue par erreur. C'est pour sa propre protection.

Entreri continuait d'en douter. Il avait rarement vu spectacle plus pitoyable. A cette vie grotesque, il préférerait encore périr sous les tortures !

Mais en repensant au style de vie de Dondon des années plus tôt, ce destin lui avait pendu au nez... Le petit filou aimait trop les douceurs et les gueuses... Il avait choisi son sort les yeux ouverts. Dans ces conditions, on ne pouvait incriminer Dwahvel.

— Qu'il reste ici, comme promis, insista Dwahvel, et il ne lui arrivera rien. Bien sûr, tout dépend de la parole d'un pasha donnée il y a des années... Vous comprenez la nervosité de mes compatriotes quand Artémis Entreri vient demander après Dondon !

Le tueur jeta un regard sceptique à la petite femme.

— Comme vous pouvez l'imaginer, la nouvelle de votre retour s'est vite ébruitée. Les spéculations vont bon train. Pour les uns, vous comptez diriger la guilde de Pook. Pour les autres, vous visez de plus grands desseins. Les seigneurs d'Eau Profonde en personne auraient loué vos services pour que vous assassiniez plusieurs hauts dirigeants de Calimport.

Entreri ne cacha pas son incrédulité.

Son interlocutrice haussa les épaules.

— Ainsi courent les ragots quand on jouit d'une réputation comme la vôtre. Certains paient en espèces sonnantes et trébuchantes à la moindre information à votre sujet, aussi ridicule soit-elle. Tous voudraient connaître le fin mot de l'histoire... Vous rendez les gens nerveux, messire assassin. Prenez-le comme le plus grand des compliments.

« Mais aussi comme un avertissement... Quand les guildes redoutent quelque chose ou quelqu'un, elles éliminent la menace, réelle ou supposée. Plusieurs personnes ont posé des questions très pointues sur vos allées et venues. Ce n'est pas moi qui vous l'apprendrai : un tueur est sur le pied de guerre.

Entreri réfléchit très vite. On lui avait rarement parlé avec autant de franchise. En quelques minutes, Dwahvel Tiggerwillies s'était davantage attiré son respect que d'aucuns en une vie entière.

— Je pourrais me renseigner pour vous, ajouta-t-elle. J'ai de plus larges oreilles qu'un mammouth sossalan et une meilleure vue qu'une horde de trolls affamés... C'est du moins ce qu'on dit de moi !

Entreri prit sa bourse et fit tinter les pièces.

— Vous surestimez ma fortune.

— Regardez autour de vous... Quel besoin d'or aurais-je encore, de Sylverymoon ou d'ailleurs ?

La référence subtile n'échappa pas au tueur. Dwahvel prouvait ainsi qu'elle savait de quoi elle parlait.

— Appelons cela une faveur entre amis. Dont j'aurai peut-être à me féliciter un jour...

Un langage qu'Entreri entendait à merveille, lui qui passait sa vie à échanger de telles faveurs...

L'air impassible, il réfléchit encore. Une façon commode et économe de glaner des renseignements... Il doutait que la petite femme fasse ultérieurement appel à ses services. Ceux de sa race n'avaient pas pour habitude de résoudre leurs problèmes par des bains de sang.

Mais si Dwahvel le sollicitait, il répondrait présent.

Ou pas.

Si les événements tournaient en faveur d'Entreri, Dwahvel se vanterait d'avoir parmi ses obligés un tueur d'envergure. Ça en ferait blêmir plus d'un...

Mais dans l'immédiat, avait-il besoin de ces informations ?

Après réflexion, il hocha la tête.

Dwahvel rayonna.

— Revenez demain. J'aurai du nouveau pour vous.

Une fois sorti de *Cuivre Ante*, Artémis Entreri repensa à Dondon. Chaque fois qu'il le revoyait s'empiffrer, la colère le reprenait.

Dondon Tiggerwillies avait été pour lui ce qui se rapprochait le plus d'un ami.

Le pasha Basadoni ? Son mentor.

Le pasha Pook ? Son premier employeur.

Mais Dondon... Ç'avait été différent. Ils s'étaient rendu *gratuitement* de menus services et avaient échangé nombre d'informations sans tenir de compte.

Une relation mutuellement bénéfique...

Revoir Dondon dans cet état lamentable, Dondon qui n'attendait vraiment plus rien de la vie... N'était-ce pas une forme de suicide ?

Entreri n'avait pas assez de compassion en lui pour expliquer sa colère. Alors pourquoi tant d'indignation ? Victime d'un vague à l'âme inhabituel, il s'imaginait à la place de Dondon... Non enchaîné devant un festin perpétuel en compagnie de femmes, mais dans une situation comparable.

Car Dondon avait baissé les bras.

Entreri aussi !

Le petit homme avait été pour lui une sorte d'ami.

Au même titre que LaValle.

Le tueur décida de lui rendre à son tour une petite visite.

CHAPITRE IV

L'APPEL

Drizzt renvoya sa fidèle panthère dans son plan d'origine pour qu'elle s'y repose. Guenhwyvar disparut dans les brumes astrales.

Régis et son improbable allié s'étaient évaporés.

Wulfgar et Catti-Brie rejoignirent Bruenor, là où les derniers géants avaient succombé.

Drizzt rejoignit ses amis dans la grotte des monstres.

— Ces maudits ont dû y cacher de fameux trésors pour avoir opposé une telle résistance ! grommela Bruenor.

— Voilà peut-être pourquoi ils avaient envoyé des éclaireurs, dit Catti-Brie. Aurais-tu préféré qu'on les affronte après avoir quitté Cadderly ? On aurait sans doute récupéré plus de butin... et quelques crânes de marchands avec.

— Bah ! pesta Bruenor.

Drizzt sourit. Dans les Royaumes, peu de gens avaient moins besoin d'or et de gemmes que Bruenor Battlehammer, huitième roi de Mithril Hall... et heureux propriétaire d'une exploitation minière.

Mais là n'était pas la raison de son indignation... Entendant Bruenor confirmer ses soupçons, Drizzt sourit de plus belle.

— Quelle sorte de méchant dieu peut nous coller des ennemis pareils dans les pattes sans nous récompenser ?

— On a trouvé un petit trésor, rappela Catti-Brie.

Elle tenait un sac rempli de pièces.

Bruenor lança un regard dégoûté au Drow.

— Du cuivre, surtout ! Trois misérables pièces d'or, deux d'argent et rien d'autre que du cuivre minable !

— Au moins, la route est dégagée...

Drizzt se tourna vers Wulfgar, qui refusa de croiser son regard.

Le Drow s'efforça de réserver son jugement.

Son ami était sans doute un homme tourmenté, mais jamais il ne l'avait déçu à ce point, ni placé en si fâcheuse posture...

Le barbare avait hésité.

Non par désir de voir Drizzt tué.

Ni par couardise.

Wulfgar se débattait dans un enfer émotionnel. Il ne fallait pas l'accabler de reproches.

Du reste, Drizzt n'en avait pas le cœur.

Restait à espérer que le combat avait chassé les démons intérieurs du jeune homme.

— Et toi ? rugit Bruenor, se plantant devant l'elfe. Quelle mouche t'a piqué de filer comme un voleur, en pleine nuit ? Nous prendrais-tu pour des boulets, ma fille et moi ?

— Je ne voulais pas vous ennuyer avec une vulgaire escarmouche, répondit Drizzt. D'autant que combattre des géants dans la montagne n'était pas à l'avantage d'un courtaud de nain...

Outré, Bruenor faillit lui expédier son poing dans la figure.

Levant les bras au ciel, il sortit en martelant le sol à coups de talons rageurs.

— Il faut toujours que tu fasses cavalier seul, espèce d'elfe à la noix, histoire de garder tout l'amusement pour toi ! Eh bien, mon petit doigt me dit qu'on ne s'ennuiera pas en chemin... Et nos prochains ennemis, tu as intérêt à les voir en premier, avant que je leur fracasse le crâne !

Bruenor continua à grommeler dans la même veine.

Wulfgar sortit à son tour sans un regard pour le Drow.

Catti-Brie ne trouvait rien de drôle à la situation.

Son air blessé toucha Drizzt.

— Tu as trouvé une bien piètre excuse, dit-elle.

— Je voulais amener Wulfgar seul afin de le placer dans un cadre différent.

— Il ne t'est pas venu à l'esprit que mon père et moi aurions aimé t'aider ?

— Je ne voulais pas que Wulfgar cherche à vous protéger... Avant la tragédie du yochlol, rappelle-toi comment il s'est comporté. Il tenait tellement à te préserver des coups qu'il faisait presque le jeu de nos ennemis ! Allais-je te demander de nous accompagner au risque qu'un tel scénario se reproduise ? Wulfgar, Guenhwyvar et moi allions combattre les géants, comme par le passé, avant qu'il tombe aux mains d'Errtu.

Catti-Brie se radoucit.

— Et ça a marché ? Wulfgar a dû se battre comme un lion, j'imagine...

— Il a fait une erreur, au début. Plus tard, il s'est rattrapé. J'espère qu'il se pardonnera ses hésitations.

— Lesquelles ?

— Nous n'avions plus combattu ensemble depuis des années. Sa défaillance est compréhensible.

En réalité, Drizzt avait du mal à avaler la pilule. L'attitude de l'humain avait failli lui coûter très cher.

— Te voilà d'humeur bien généreuse..., fit Catti-Brie.

— J'espère que Wulfgar se souviendra de qui il est, et de qui sont vraiment ses amis.

— Tu l'espères... Mais y crois-tu ?

Drizzt haussa les épaules.

Les quatre amis repartirent.

Après avoir bougonné contre Drizzt, Bruenor s'en prit à...

— Par les Neuf Enfers, où est passé ce ventre à pattes de Régis ? D'ailleurs, comment a-t-il conduit un géant à se battre pour lui ?

Au même instant, des pas firent vibrer le sol. Deux voix braillaient des couplets idiots. C'étaient celles d'un petit homme joyeux et d'un géant...

Les deux compères apparurent au détour d'un éboulis. Ils chantaient et riaient à gorge déployée.

— Salut ! lança Régis en apercevant ses amis.

Les mains de Drizzt volèrent vers les gardes de ses cimeterres. Bruenor empoigna sa hache, Catti-Brie son arc et Wulfgar, Aegis-fang.

— Voici Junger ! se hâta de préciser Régis. Il n'était pas avec les autres... Il ne les connaissait même pas. Un brillant petit gars, ce Junger !

Le géant s'inclina devant le groupe.

— En fait, Junger ne sort jamais des montagnes. Il ne s'intéresse nullement aux affaires des nains et des hommes.

— Il t'a dit tout ça ? fit Bruenor, sceptique.

Un grand sourire sur les lèvres, Régis acquiesça.

— Et je le crois...

Il brandit son rubis magique d'un air entendu.

— Ça ne change rien ! grogna Bruenor, avec un regard pour Drizzt.

Il attendait manifestement que le Drow lance l'offensive. Un géant était un géant, après tout.

— Junger n'est pas un tueur, déclara Régis.

— Je n'exécute que les gobelins, renchérit le monstre. Et les orcs, bien sûr, car qui pourrait supporter ces ignobles laiderons ?

Entendant son élocution sophistiquée, même Bruenor ouvrit des yeux ronds.

— Et les yétis..., ajouta le nain. Tu les oublies, mon gars.

— Oh non ! Je ne tue pas les yétis, protesta Junger. (Bruenor se renfrogna.) Ces bêtes-là ne sont pas comestibles ! Mieux vaut les domestiquer.

— Comment ? demanda le nain.

— Comme des chiens ou des chevaux. Dans ma grotte, j'en ai une multitude sous mes ordres.

Incrédule, Bruenor se tourna vers Drizzt.

Aussi dérouté, le Drow haussa les épaules.

— On a déjà perdu trop de temps, intervint Catti-Brie. Avant qu'on les rattrape, Camlaine et les siens auront traversé la moitié du Val... Dis au revoir à ton ami, Régis, et partons.

Le petit homme secoua la tête.

— D'ordinaire, Junger ne quitte pas ses montagnes. Mais pour moi, il fera une exception.

— Très bien, grogna Wulfgar. Je n'aurai plus à te porter sur mes épaules...

Le barbare se remit en route.

— Il n'est pas question que ton nouvel ami te porte à longueur de journée, Régis, dit Bruenor. Tu as des jambes, que je sache. Junger n'est pas ton cheval.

— Non, mais il sera mon garde du corps !

Le nain et sa fille grommelèrent en chœur.

Drizzt secoua la tête.

— Chaque fois qu'on se bat, insista Régis, j'ai un mal fou à ne pas rester dans vos pattes ! Et je ne vous suis d'aucune aide. Mais avec Junger...

— Tu chercheras toujours à en faire le moins possible ! coupa Bruenor.

— Si Junger doit se battre pour toi, ajouta Drizzt, il ne représente pas plus que nous à tes yeux. Sommes-nous tes gardes du corps ?

— Bien sûr que non ! Mais...

— Débarrasse-t'en ! lança Catti-Brie. Tu nous vois débarquer à Luskan flanqués d'un géant des montagnes ? Un peu de jugeote !

— On voyage bien en compagnie d'un Drow ! répliqua Régis sans réfléchir.

Puis il devint rouge comme une tomate.

Drizzt gloussa.

— Junger, ordonna Bruenor, pose ton ami par terre. Se faire sonner les cloches lui vaudra le plus grand bien...

— Ne lui faites pas de mal ! dit le géant. Je ne le permettrai pas !

Bruenor leva les yeux au ciel.

— Pose cette petite peste par terre !

Non sans hésiter, le géant obtempéra. Le nain fit mine d'attraper Régis par une oreille, mais il se ravisa vite.

Il attira le petit homme à l'écart pour le sermonner.

— Ventre à pattes, réfléchis deux minutes ! Que se passera-t-il quand cette montagne de muscles échappera à l'emprise de ton rubis magique ? Il t'aplatira comme une crêpe avant que nous puissions esquisser un geste. Et tu ne l'auras pas volé !

Régis se remémora sa rencontre avec Junger... En effet, il suffirait au géant de lever le pied pour l'écraser. Le rubis magique avait ses limites.

Retournant vers Junger, Régis le pria de retourner chez lui.

Le géant secoua la tête.

— Je l'entends, dit-il, énigmatique. Alors je reste.

— Tu entends quoi ? demandèrent Régis et Bruenor à l'unisson.

— L'appel... Je dois vous accompagner afin de servir Régis et de le protéger.

— Sacré nom d'un chien ! souffla Bruenor au petit homme. Tu lui en as fichu un sacré coup sur le citron, à ton nouvel ami !

— Je n'ai pas besoin de protection, Junger, assura Régis. Nous te remercions tous de ton aide, mais il faut nous séparer... Retourne dans ta grotte.

Junger secoua encore la tête.

— Il vaut mieux que je vous accompagne.

Bruenor foudroya le petit homme du regard.

Le géant devait encore être sous l'emprise du bijou.

Le merveilleux rubis sans lequel Régis ne serait plus en vie depuis longtemps.

Pourtant, Junger lui désobéissait...

— Eh bien, pourquoi pas, si tu y tiens tant ! lança Drizzt à la surprise générale. Tes yétis domestiqués pourraient nous rendre de grands services, après tout. Combien de temps te faudra-t-il pour aller les chercher ?

— Trois jours au maximum.

— Alors dépêche-toi ! jubila Régis, sautillant d'allégresse.

Le géant s'inclina et partit aussitôt.

— On aurait dû tuer ce monstre tout de suite au lieu de se compliquer l'existence ! râla Bruenor. Le bougre est capable de nous suivre avec ses yétis de malheur !

— Il ne quitte jamais ses montagnes, rappela Régis.

— Assez perdu de temps ! s'emporta Catti-Brie. Le monstre est parti, et nous devrions en faire autant.

Le groupe se remit en route.

— Etait-ce vraiment l'appel de ton rubis magique ? demanda Drizzt à Régis.

— Junger doit avoir entendu un appel dans le vent et il lui a obéi... Il aura sans doute pensé que j'en étais l'auteur.

Drizzt accepta l'explication.

En regagnant sa grotte, Junger trouva soudain bizarre de l'avoir quittée.

Repensant au petit homme, il ricana. Dans sa jeunesse, Junger s'était régalé de chair humaine. Les petites gens n'avaient pas mauvais goût non plus...

Mais il avait vite renoncé à ces friandises.

Les humains faisaient des adversaires redoutables.

Sans l'appel du vent, Junger se serait bien gardé de quitter sa montagne. Mais il obéissait à une force qu'il s'expliquait mal.

Dans sa grotte, il avait pourtant tout ce qu'il voulait : de la nourriture à satiété, des serviteurs dociles et des fourrures moelleuses. Pourquoi diable quitter son antre douillette ?

C'était pourtant ce qu'il avait fait. Et ce qu'il referait.

Il n'était pas stupide, mais l'appel était irrésistible.

Le géant obéissait aux instructions que le vent lui transmettait.

C'était l'appel de Crenshinibon.

CHAPITRE V

DU DÉSORDRE DANS LES RUES

Tard dans la matinée, après avoir parlé avec Quentin Bodeau et Chalsee Anguaine, LaValle regagna ses appartements privés.

Chien Perry était encore en ville, occupé à glaner des renseignements sur Artémis Entreri.

La réunion matinale était un conseil de guerre visant en fait à rassurer Quentin Bodeau. Le maître de guilde voulait être certain qu'Entreri ne surgirait pas dans sa résidence pour l'assassiner... Avec l'arrogance de la jeunesse, Chalsee Anguaine promettait de défendre Quentin au prix de sa vie.

Du pur délire. LaValle n'avait pas manqué de le souligner : Entreri avait ses méthodes de travail. Jamais il ne viendrait tuer Quentin Bodeau sous son toit avant de s'être renseigné sur ses relations, sur ses associés et sur la façon dont il dirigeait sa guilde...

Néanmoins, Bodeau se sentirait mieux si Chien Perry ou un autre abattait le tueur avant qu'il fasse des siennes...

LaValle avait gardé ses réflexions pour lui.

Dans ses appartements, tout avait l'air normal. Pourtant, quelque chose clochait.

Chien Perry ?

L'homme se méfiait du sorcier. Il l'avait même accusé de vouloir se rallier à Entreri dès que les choses tourneraient mal.

Perry l'attendait-il, arme au poing ?

LaValle se retourna vers la porte d'entrée. Rien n'indiquait qu'on eût trafiqué la serrure ou désamorcé les pièges magiques. La fenêtre était bardée de tant de glyphes et de protections que tout intrus pouvait s'attendre à être frappé par des éclairs, brûlé à trois reprises et pétrifié... A supposer que l'individu survive à ces désagréments, les explosions suffiraient à rameuter la garde...

La prudence étant la mère de la sûreté, LaValle lança un sort de protection avant de gagner son étude.

La porte s'ouvrit devant lui.

Artémis Entreri apparut.

LaValle sentit ses genoux se dérober.

— Tu savais que j'étais de retour, fit le tueur. Qu'y a-t-il d'extraordinaire à ce que je rende visite à mes amis d'antan ?

Feignant d'être calme, le sorcier secoua la tête.

— La porte ou la fenêtre ?

— La porte, bien sûr. Je sais combien tu protèges tes fenêtres...

— Les portes aussi, bougonna le sorcier.

De toute évidence, ça n'avait pas suffi.

Entreri brandit une clé.

— Tu utilises encore ton ancienne combinaison...

— Comment t'es-tu procuré... ?

— C'est moi qui t'avais fourni la serrure, tu te souviens ?

— Mais la maison est gardée par des soldats qui ignorent tout d'Artémis Entreri !

— Une maison qui a ses petits secrets...

— Enfin, il y avait... d'autres pièges !

Entreri arbora une expression ennuyée.

Son interlocuteur reçut le message.

— Très bien. Que dirais-tu d'un souper fin ?

Le tueur s'installa sur un siège.

— Je ne suis pas venu manger, mais m'informer. Tout le monde sait que je suis de retour à Calimport.

— Beaucoup de guildes le savent, confirma le sorcier. Comme nombre de mes confrères, j'ai pu t'observer dans ma boule de cristal... Tu n'es guère resté dans l'ombre.

— L'aurais-je dû ? Je suis venu seul, sans ennemis à ma poursuite, et je n'ai pas l'intention de m'en faire.

La notion, absurde, fit rire LaValle.

— Pas d'ennemis ? Comment pourrait-on exercer ta profession sans s'en créer ?

Mais l'envie de rire lui passa vite devant la mine sinistre du tueur. Se moquer d'un homme si dangereux n'était pas malin.

— Pourquoi m'espionnes-tu ? demanda Entreri.

LaValle haussa les épaules.

— C'est mon travail.

— Tu as prévenu le chef de la guilde ?

— Le pasha Quentin Bodeau était avec moi quand ton image s'est formée dans la boule de cristal.

Entreri hocha la tête ; le sorcier se dandina, embarrassé.

— J'ignorais qu'il s'agissait de toi... Sinon, je t'aurais contacté au préalable.

— Quelle loyauté..., ironisa Entreri.

— Je ne suis pas hypocrite et je ne fais pas de fausses promesses, se défendit le sorcier. Ceux qui me connaissent savent que j'évite de modifier l'équilibre des pouvoirs. Je sers les plus forts, un point c'est tout.

— Un survivant qui a du sens pratique... Pourtant, ne viens-tu pas d'affirmer que tu m'aurais prévenu si tu avais su ? Tu *as* fait une promesse, sorcier : celle de servir ton maître. Et tu aurais violé cet engagement en m'avertissant ? Je ne dois pas te connaître aussi bien que je le pensais... Ta vision de la loyauté ne m'inspire guère confiance !

— Je... je ferais volontiers une exception pour toi ! bafouilla LaValle, cherchant une échappatoire aux pièges de la logique.

Si Entreri le jugeait indigne de confiance, il n'hésiterait pas à le tuer.

— Ta seule présence signifie quelque chose, Artémis... Jamais je ne chercherai à te nuire.

Entreri le dévisagea longuement. Mais il se lassa vite de ce petit jeu. N'ayant pas l'intention de nuire au sorcier, il fit redescendre la tension d'un cran.

— Parle-moi de la guilde : ce qu'elle est devenue, son chef, les lieutenants qui y gravitent... Quelle est l'étendue actuelle de son réseau ?

— Quentin Bodeau est un homme convenable. Il ne tue pas sans nécessité et ne détrousse que les nantis. Hélas, beaucoup, parmi ses troupes et ses rivaux, voient cette compassion comme une faiblesse. La guilde en a forcément pâti. Nous ne sommes plus aussi forts que du temps de Pook, ou du tien.

LaValle parla en détail de l'aire d'influence de la guilde. Entreri découvrit à quel point sa gloire d'antan avait pâli. Des rues jadis sous la coupe de Pook étaient passées dans d'autres mains.

Le tueur se moquait de la prospérité ou des déficiences de Bodeau ; il tentait simplement de prendre le pouls de la ville basse, afin de ne pas s'attirer par inadvertance les foudres d'une guilde ou d'une autre.

LaValle parla ensuite des lieutenants, soulignant le potentiel prometteur du jeune Chalsee et mettant Entreri en garde contre Chien Perry.

— Surveille celui-là de près ! insista le sorcier devant l'air indifférent de son interlocuteur. Qu'Artémis Entreri revienne piétiner ses plates-bandes le contrarie beaucoup ! Ta seule présence est une menace pour lui, car il fait payer très cher ses services. Et pas seulement à Quentin Bodeau. (Comme rien ne faisait réagir le tueur, LaValle conclut :) Il veut être le prochain Artémis Entreri !

Le tueur ricana. Ce Chien Perry n'avait aucune idée de ce qui l'attendait. Sinon, il aurait vite nourri d'autres prétentions...

— Ton retour est une menace pour lui, répéta LaValle. Ou pire... Une occasion à ne pas rater.

— Tu n'aimes guère ce garçon.

— C'est un tueur indiscipliné, donc imprévisible. La flèche décochée par un aveugle... Ses actes irrationnels nous inquiètent tous.

— Je n'aspire pas à remplacer Bodeau, assura Entreri après un long silence. Ainsi, en me tenant informé, tu ne trahiras pas ton maître. Tu me dois bien ça, sorcier.

— Si Chien Perry veut t'attaquer, je te préviendrai...

Entre les deux tueurs, LaValle n'hésitait pas un instant. Mieux valait s'aliéner Perry qu'Entreri.

Artémis repensa aux paradoxes de sa réputation. Avec son fabuleux tableau de chasse, il s'était attiré beaucoup de haine. Pour les mêmes raisons, bien des gens le redoutaient et travaillaient volontiers pour lui.

Si Chien Perry sortait vainqueur du duel, LaValle s'inclinerait aussitôt devant le jeune arriviste.

Pour Artémis Entreri, tout ça n'avait aucun sens.

— Tu ne vois pas les possibilités qui s'offrent à nous, bougonna Chien Perry.

— Ne connais-tu pas les histoires sur Entreri ? insista Chalsee Anguaine. A son tableau de chasse figurent des chefs de guilde et même des sorciers de guerre !

— L'homme dont tu parles a vieilli ! Beaucoup de guildes lui vouaient un culte, y compris la maison Basadoni. Il avait des relations et des appuis, ainsi que de puissants alliés pour réussir ses contrats... Le voilà seul et vulnérable. Sans compter qu'il n'a plus les réflexes de la jeunesse.

— Nous devrions guetter le moment propice, réunir plus d'informations sur lui et découvrir les raisons de son retour, conseilla Chalsee.

— Plus nous attendrons, plus il retissera sa toile. Alors, nous ne pourrons plus agir sans déclencher une guerre entre guildes. Sous le commandement de Bodeau, nous ne survivrions pas à un tel conflit.

— Tu restes son principal tueur, rappela Chalsee.

Chien Perry gloussa de fierté.

— Je ne laisse pas passer les bonnes occasions... Aujourd'hui, nous en avons une unique. Eliminons Entreri, et nous gagnerons son prestige.

— Sans guilde ?

— Sans guilde. Ou plus précisément, liés à toutes sans appartenir à aucune. Des talents vendus aux plus offrants...

— Quentin Bodeau ne l'acceptera pas, dit Chalsee. Il perdra deux lieutenants, et cela affaiblira encore sa corporation.

— Bodeau n'aura qu'à s'incliner.

Chalsee réfléchit, puis secoua la tête, dubitatif.

— Il craindra que ses propres lieutenants se retournent contre lui à la demande de ses rivaux.

— Et après ? fit Chien Perry, cynique. Prends garde de ne pas hypothéquer ton avenir avec des hommes comme lui. Sous sa tutelle, la guilde périclite. Ceux qui témoigneront une loyauté stupide aux perdants se retrouveront vite dans le caniveau.

Chalsee détourna la tête. La conversation prenait un tour désagréable. La veille encore, sa vie et sa carrière étaient toutes tracées, au sein d'une guilde forte.

Mais depuis l'arrivée d'Entreri à Calimport...

Chien Perry nourrissait de hautes ambitions. Et il était disposé à miser gros pour gagner. Mais Chalsee n'était pas convaincu que le jeu en valait la chandelle.

— Ma décision est prise, conclut Perry. Avec ou sans ton aide, je compte abattre Entreri.

La menace n'échappa pas à Chalsee. Perry ne tolérait aucune neutralité dans son camp.

Si Chalsee n'était pas avec lui, il était *contre* lui.

Le jeune homme n'avait pas le choix...

Ils commencèrent à échafauder des plans.

Pour Chien Perry, ça ne faisait aucun doute : dans deux jours, Entreri serait un homme mort.

— Entreri n'est pas notre ennemi, assura LaValle au chef de la guilde.

— Comment pouvez-vous en être certain ? Comment lire les pensées d'un tel homme ? L'imprévisibilité est sa seconde nature !

— Là, vous vous trompez. Il est très prévisible, au contraire. Il n'a jamais fait mystère de ses désirs ou de ses motivations. Je lui ai parlé tantôt.

Quentin Bodeau sursauta.

— Quand ? Où ? Vous n'êtes pas sorti aujourd'hui !

LaValle sourit dans sa barbe.

L'imbécile venait d'avouer implicitement qu'il l'espionnait... Il devait vraiment être inquiet pour aller si loin. Quentin savait qu'Entreri et son sorcier avaient été alliés. Si le tueur voulait retrouver une position de force au sein de son ancienne guilde, il s'adresserait à LaValle.

— Vous n'avez pas de raison de vous défier de moi, assura le sorcier. Si Entreri désirait votre place, je vous le dirais franchement, afin que vous la lui cédiez tout en conservant un rang élevé.

— La lui céder ? répéta Bodeau, une lueur inquiétante au fond des yeux.

— Supposons que je dirige une guilde, et que j'apprenne qu'Entreri veut ma place... C'est ainsi que j'agirais ! (Le sorcier laissa échapper un petit rire, histoire de calmer le jeu.) Mais n'ayez crainte. Entreri n'est pas votre ennemi.

— Vous ne devez plus avoir de contacts avec lui.

— Ce ne serait pas prudent. Ne vaut-il pas mieux en savoir le plus possible sur ses projets ?

— Plus de contacts avec lui ! (Bodeau saisit son interlocuteur par l'épaule.) Vous m'entendez ?

— Vous ratez une occasion en or, soupira LaValle. Entreri est un ami et...

— N'insistez pas ! Croyez-moi, rien ne me plairait plus que de l'engager pour qu'il me débarrasse de quelques trublions et de tous les rats-garous... Il paraît qu'Entreri voue une haine féroce à ces créatures, qui le lui rendent bien.

LaValle sourit. Le pasha Pook avait été très lié au chef Rassiter. Pook disparu, Rassiter avait tenté d'intéresser Entreri à une nouvelle alliance. Hélas pour le rat-garou, l'humain n'avait pas vu les choses sous cet angle...

— Mais engager Entreri... C'est hors de question, continua Bodeau. Il ne faut plus communiquer avec lui. Ce sont les ordres de Basadoni, de la guilde des Rakers et du pasha Wroning en personne.

La révélation stupéfia LaValle. Bodeau venait de nommer les trois premières corporations de Calimport !

— Tous trois ont déclaré Entreri intouchable, ajouta-t-il à voix basse.

Aucun chef de guilde ne devait plus traiter avec cet homme. A moins de vouloir déclencher une bataille rangée...

Contrarié, LaValle acquiesça. Il comprenait trop bien les raisons de cette décision. Un malfrat mineur n'aurait pas la tentation de vider ses coffres pour placer un contrat sur la tête d'un des principaux dirigeants...

Car Entreri, à lui seul, pouvait menacer l'équilibre des forces.

Quelle preuve de ses talents, de sa réputation et du crédit qu'on lui accordait !

Mieux que quiconque, LaValle savait que son ancien associé n'avait pas volé son prestige.

— Je comprends... Quand la situation sera moins délicate, peut-être trouvera-t-on un autre moyen d'exploiter mon amitié...

Pour la première fois depuis des jours, Quentin sourit.

LaValle prit congé, prétextant un travail très délicat à achever la nuit même.

Dans ses appartements, il consulta sa boule de cristal et repéra Chien Perry. Par bonheur, Chalsee Anguaine et lui n'étaient pas encore partis.

Il courut les rejoindre dans l'armurerie principale.

— Vous comptez sortir ce soir ? s'enquit-il en entrant.

— Comme chaque soir, répondit Chien Perry. C'est notre travail, que je sache.

— En emportant des armes supplémentaires ? fit le sorcier, avec un regard pour les dagues dont les jeunes gens s'étaient bardés.

— Un lieutenant insouciant est un lieutenant mort, railla Perry.

— C'est juste. Et sur ordres de Basadoni, de Wroning et des Rakers, le lieutenant qui s'attaquera à Artémis Entreri ne rendra pas service à son maître.

Cette déclaration fit sursauter les deux tueurs.

Puis Chien Perry continua ses préparatifs.

Moins expérimenté, Chalsee trahit sa nervosité.

Ces idiots comptaient abattre Entreri cette nuit même !

— J'aurais cru que vous me consulteriez d'abord, dit le sorcier. Afin d'en savoir plus sur ses mouvements.

— Vous jacassez trop ! lâcha Perry. Je n'ai pas de temps à perdre.

Il referma l'armoire en claquant le battant, puis sortit la tête haute, Chalsee Anguaine sur les talons.

Quelle réception glaciale ! D'évidence, Perry jugeait LaValle indigne de confiance.

S'il réussissait à vaincre le célèbre tueur, la gloire et la puissance qu'il en retirerait seraient considérables.

Si Entreri l'emportait, il verrait d'un mauvais œil que LaValle n'ait pas jugé bon de l'avertir, en violation de leurs accords.

S'il respectait son engagement, le sorcier s'exposerait du même coup aux représailles des autres guildes. Elles aussi avaient des mages...

Perturbé, LaValle regagna ses appartements et resta assis dans le noir.

Quel que soit le vainqueur, sa guilde aurait des ennuis.

Devait-il prévenir Quentin Bodeau ?

A quoi bon ? Le maître se contenterait de faire les cent pas et de se ronger les ongles...

Comment rappeler Chien Perry à la niche ?

En observant le duel par l'entremise de la boule de cristal ? La clairevision risquait toujours d'être détectée par d'autres sorciers et mal interprétée.

LaValle s'inquiéta.

Les heures passèrent.

CHAPITRE VI

LES HÉROS QUITTENT LE VAL

Drizzt regardait le barbare du coin de l'œil... La bataille contre les géants avait-elle aidé Wulfgar à y voir plus clair ? Son hésitation presque fatale lui inspirait-elle une nouvelle culpabilité ?

Aussi fin observateur fût-il, Drizzt n'arrivait pas à interpréter les cogitations de son ami. Depuis sa libération, son comportement restait mécanique... La douleur, la satisfaction, le soulagement ou toute émotion avait été comme gommée.

S'il restait dans son regard azur une étincelle de passion, Drizzt ne la voyait pas.

Conclusion : l'escarmouche contre les géants était un coup d'épée dans l'eau. L'elfe noir ne savait plus quoi faire pour tirer son ami de sa détresse.

Catti-Brie vint s'asseoir près de Wulfgar, qui esquissa un sourire. La jeune femme réussirait-elle où Drizzt avait échoué ?

La pensée inspira au Drow des émotions tumultueuses.

S'il éprouvait pour Wulfgar une amitié sincère, désirant sincèrement le rendre à la vie et à la joie, voir Catti-Brie se rapprocher de lui le peinait. Drizzt aurait voulu être au-dessus de ça. Mais le nier était inutile.

Il était jaloux.

Il se leva et rejoignit Bruenor et Régis.

— Demain, nous aurons quitté le Val, déclara le nain, désignant les montagnes, au sud et à l'est. Comment va mon garçon, Drizzt ? (L'elfe noir haussa les épaules.) As-tu vu son expression quand nous nous battions ? Ou quand Régis a surgi juché sur son géant puant ?

— J'étais trop occupé..., admit Drizzt.

— Eh bien, il n'en avait aucune ! Pas de colère, rien... Il levait son marteau et le lançait avec une régularité d'automate !

— Le guerrier sublime sa fureur afin de rester maître de lui-même, rappela Drizzt.

— Pas comme ça ! Quand nous avons affronté Errtu, mon garçon était dans une colère noire... Je ne l'avais encore jamais vu dans cet état. Que ne donnerais-je pour revivre ça ! Tout plutôt que cette indifférence sans bornes...

— Je l'ai vu quand je suis arrivé, avoua Régis. Il ignorait que Junger était notre allié ; il aurait facilement pu être écrasé à ce moment-là... Eh bien... hum... il n'a trahi aucune appréhension. Il a toisé le géant et tout ce que j'ai vu sur son visage, c'est...

— ... De la résignation, acheva Drizzt. L'acceptation de son sort, quel qu'il soit.

— C'est au-delà de ma compréhension, admit Bruenor.

Drizzt soupira.

Wulfgar s'était vu voler ses espoirs et ses rêves, ses passions et ses buts... Comment l'expliquer au nain ? A moins d'établir, ironiquement, un parallèle avec la réaction de Bruenor, quand Wulfgar était tombé aux mains d'un yochlol.

Assommé de chagrin, le nain avait erré comme une âme en peine.

Wulfgar était tout simplement en deuil.

Jamais Bruenor ne comprendrait. Drizzt lui-même n'était pas sûr de saisir.

— Il est temps d'y aller, fit le nain, arrachant l'elfe noir à sa méditation. (Drizzt leva un regard interrogateur vers lui.) Camlaine nous a invités à jouer aux osselets. Allez, viens !

A l'autre bout du camp, pelotonnés l'un contre l'autre, Wulfgar et Catti-Brie parlaient à voix basse.

Elle avait réussi à le tirer de son mutisme !

Le Drow aurait aimé espionner le couple... Mais ce n'aurait pas été digne de lui.

Il partit jouer aux osselets avec ses amis.

— Tu n'imagines pas notre peine quand nous avons vu la voûte s'écrouler sur toi, murmura Catti-Brie.

Elle évoquait une scène, survenue dans les entrailles de Mithril Hall. Auparavant, les jeunes gens s'étaient remémorés des épisodes plus heureux de leur vie.

Puis Catti-Brie évoqua un autre événement crucial : la création d'Aegis-fang.

Ce chef-d'œuvre avait couronné la carrière de Bruenor. Le nain avait laissé son amour pour le barbare guider ses gestes.

— S'il ne te portait pas tant dans son cœur, continua la jeune femme, il n'aurait pas pu te forger une si belle arme.

Elle vit que ses paroles faisaient mouche et passa à la disparition de Wulfgar et au yochlol.

Son fiancé continua d'écouter, ajoutant même un commentaire ou deux.

— Toute force a quitté mon corps, expliqua Catti-Brie. Jamais je n'avais vu Bruenor si près du point de rupture. Pourtant, nous avons trouvé le courage de nous battre encore. En mémoire de toi.

Les yeux clairs de Wulfgar se firent lointains. La jeune femme se rapprocha du barbare, posant la tête sur son épaule. Loin de la repousser, Wulfgar lui entoura la taille.

Catti-Brie avait espéré plus... Néanmoins, c'était un premier pas.

Il fallait du temps.

Le matin suivant, les compagnons quittèrent effectivement le Val.

Au sud, les vents mugissaient autour de l'Epine Dorsale du Monde. Au contraire des courants froids qui donnaient son nom au Val Bise, ceux-là provenaient de climats tempérés.

Drizzt et Bruenor partirent en éclaireurs, laissant Catti-Brie et Wulfgar en tête-à-tête, avec l'espoir que les jeunes gens se retrouveraient enfin.

La jeune femme continuait d'évoquer les vieux souvenirs, plus heureux.

Régis passa la journée blotti à l'arrière du chariot, environné de fumets alléchants.

Vers midi, Drizzt aperçut une empreinte de géant.

— L'ami de Ventre-à-pattes ? s'enquit Bruenor.

— Je suppose...

— Ce satané Régis a encore fait des miracles ! bougonna le nain.

Drizzt, qui comprenait le pouvoir du rubis et la magie en général, ne pouvait pas être du même avis.

Le géant avait dû reprendre ses esprits. Et se demander pourquoi diable il avait prêté main-forte à ses ennemis !

Ensuite ? Avait-il décidé de pister ceux qui l'avaient dupé ? Drizzt découvrit d'autres empreintes suspectes...

Simple coïncidence ?

S'agissait-il d'un autre géant ? Après tout, le Val Bise était infesté de monstres.

Quand Bruenor et l'elfe noir rejoignirent le groupe au souper, ils passèrent leur trouvaille sous silence. Ils ne doublèrent pas la garde non plus.

Drizzt resta à l'écart toute la nuit. Autant pour ne plus voir Catti-Brie et Wulfgar roucouler que pour les protéger des dangers nocturnes.

Seul avec ses pensées et ses craintes, il livra bataille à ses démons intérieurs.

Catti-Brie était libre de décider du cours de sa vie.

Combien de fois avait-elle prouvé son intelligence et son honnêteté ?

Quand la lune déclina au-dessus des eaux de la Côte des Epées, Drizzt se sentit rasséréné.

N'était-il pas près de ses amis de toujours ?

Wulfgar plongea son regard dans les yeux bleus de sa compagne... Et comprit qu'elle l'avait sciemment amené là où elle voulait.

Catti-Brie avait refermé ses déchirures intérieures et apaisé sa colère.

A présent, elle exigeait qu'il baisse les armes... lui laissant voir quels démons le hantaient encore.

Sereine, Catti-Brie attendit. Elle avait réussi à lui arracher des détails horribles. Puis, par son subtil travail de sape, elle avait amené Wulfgar à lui dévoiler ses terreurs.

Cela n'avait rien de facile pour un homme aussi fier.

Mais il n'avait pas repoussé sa compagne.

Bouleversé, il dévisagea la jeune femme d'un regard neuf. Son cœur cognait dans sa poitrine.

— Si longtemps je me suis raccroché à ton souvenir..., avoua-t-il à voix basse. Perdu dans le brouillard des Abysses... J'ai vu tant d'horreurs qui ne sont pas pour les yeux d'un homme... Je les conjurais tant bien que mal en gardant toujours ta beauté à l'esprit.

Ne sachant que dire, Catti-Brie esquissa un pauvre sourire.

— Errtu l'a retournée contre moi...Violant mes pensées, il a mis en scène ton exécution entre les griffes du yochlol... Puis ce fut le tour de Bruenor...

— N'est-ce pas le yochlol qui t'a entraîné dans les plans inférieurs ? demanda Catti-Brie, soucieuse de rompre la fascination morbide de Wulfgar par la froideur de la logique.

— Je ne m'en souviens pas. Je me rappelle la voûte qui s'effondre sur moi, les morsures du yochlol... Et mon réveil à la cour de la Reine Araignée.

« Mais même ça... Tu ne comprends pas ! Mon unique défense contre le démon... Souillée, pervertie ! Le seul espoir au monde qu'il me restait... Bafoué...

Catti-Brie approcha son visage du sien ; leurs souffles se mêlèrent.

— L'espoir renaît toujours de ses cendres. Errtu a été banni pour les cent prochaines années. Depuis longtemps, la Reine Araignée et ses infâmes laquais ne s'intéressent plus à Drizzt. Le monde nous appartient. Tant de possibilités s'offrent à nous ! Commençons par faire la paix avec notre passé, et tout ira mieux, tu verras.

Wulfgar secoua la tête. Ce n'était pas si simple...

— Toutes ces années où tu m'as cru mort, Errtu m'avait convaincu que vous aviez tous été massacrés. Drizzt lui-même avait succombé sur l'autel d'une matrone. Après, il ne me restait plus rien.

— Tu vois bien maintenant que c'étaient des mensonges ! s'écria Catti-Brie. Il ne faut jamais perdre espoir... Jamais. Les démons s'ingénient à persuader leurs victimes que tout est perdu ! Ils ne vivent que par et pour le mensonge. Pourquoi étouffent-ils nos espoirs ? Parce que sans espoir, il n'y a ni force, ni résistance, ni liberté. Rien ne leur plaît davantage que d'asservir les cœurs.

Wulfgar prit une grande inspiration. A la douleur du passé, Catti-Brie opposait des faits.

La victime n'avait-elle pas échappé à son bourreau ?

Les jeunes gens restèrent plongés dans leurs pensées.

L'horreur et la douleur n'étaient pas les seules chaînes que Wulfgar traînait derrière lui...

Ses espoirs piétinés, il avait renoncé à toute résistance et perdu toute fierté.

Aux yeux de Catti-Brie, il n'y avait pas de doute possible. La culpabilité le rongeait.

Ça paraissait absurde. La jeune femme avait assez de cœur pour pardonner ce que le prisonnier des Abysses avait pu faire ou dire pour survivre.

Wulfgar serra les mâchoires. Catti-Brie avait raison. Le passé était le passé. Il fallait en tirer les leçons et aller de l'avant.

Ayant retrouvé ses compagnons, il ne devait plus penser qu'aux prochaines aventures.

Et regarder Catti-Brie avec des yeux et des espoirs neufs.

Il se tourna vers elle, plein d'un calme nouveau.

Puis il l'embrassa doucement.

Le moment de vérité était arrivé. Catti-Brie l'aimait-elle ?

Comme un ami cher, sans aucun doute.

Mais était-elle prête à aller plus loin ?

En toute honnêteté, elle l'ignorait. Un jour, elle avait décidé d'épouser Wulfgar et de porter ses enfants. De passer son existence avec lui.

Depuis, des années s'étaient écoulées.

Et un autre homme avait pris de l'importance dans sa vie.

L'heure n'était plus à la contemplation : Wulfgar l'embrassait passionnément.

Elle ne répondit pas à sa fougue.

Il s'écarta d'elle.

Tiraillée entre le passé et l'avenir, Catti-Brie pensa qu'elle devait bien ça au miraculé.

Elle se serra dans ses bras et prit l'initiative d'un autre baiser. Ils s'étreignirent et s'allongèrent, se dévorant de caresses.

Catti-Brie s'abandonna, heureuse de pouvoir ramener Wulfgar à la vie.

Il se perdit avec délices dans la douceur féminine de son aimée.

Il était libre !

Libre de savourer l'allégresse retrouvée, la gloire et la beauté de l'instant.

Il roula sur le dos, poussant Catti-Brie à s'installer à califourchon sur lui. Il lui mordilla le cou. A l'approche de l'extase, il plongea son regard dans le sien.

Une succube triomphante lui renvoya ses regards.

En un éclair, Wulfgar fut de nouveau projeté dans les Abysses.

Mensonge ! Tout n'était que mensonge !

Sa libération, ses retrouvailles avec ses amis... Un leurre destiné à le plonger dans de nouveaux abîmes de désespoir...

Enlacé à l'horrible succube, au fond des Abysses qu'il n'avait en réalité jamais quittées, Wulfgar rêvait encore à l'impossible...

Dégoûté, le barbare repoussa la vile tentatrice, l'envoyant rouler dans la poussière. Puis il bondit sur ses pieds et remonta ses braies. Titubant jusqu'au feu de camp, il attrapa un tison au mépris de la douleur et s'apprêta à frapper la succube.

Hébété, il découvrit Catti-Brie devant lui.

A demi dévêtue, elle chancelait, le nez en sang, et riva sur le barbare un regard incrédule.

— Je ne voulais pas... Jamais je..., bredouilla Wulfgar.

Avec un cri étouffé, il tourna les talons et s'enfuit, empoignant au passage son paquetage et son marteau de guerre.

Il courut dans la nuit, livré à la noirceur de ses tourments.

CHAPITRE VII

ENSERRÉ AU VARECH...

— Vous ne pouvez pas entrer, seigneur... De grâce, n'insistez pas !

La nervosité du portier n'amusait nullement Entreri. Les implications de ce refus étaient trop dérangeantes.

Dwahvel et le tueur avaient conclu un accord qui bénéficiait surtout à la petite femme. Et voilà qu'elle revenait sur sa parole ! Elle prétendait lui interdire l'entrée du *Cuivre Ante* !

— Très bien. Je m'en vais. Mais rappelle ça à ta patronne : qui n'est pas de mes amis est mon ennemi.

Il tourna les talons.

Il n'avait pas fait dix pas quand une voix féminine s'éleva.

— Ciel, ça ressemblait fort à une menace !

Elle provenait d'une fissure, dans la façade de l'auberge. Une sorte de judas, doublé d'une meurtrière de fortune par où décocher des flèches...

Entreri s'arrêta et s'inclina.

Surpris, il vit la fissure s'élargir et un panneau coulisser.

Dwahvel vint se camper devant lui.

— Vous êtes bien prompt à parler d'inimitié, fit-elle, secouant la tête.

— Pas du tout. Je m'irritais de votre revirement. C'est bien compréhensible.

— L'*enserrement* au varech, dit-elle simplement, la mine grave.

Une expression des marins-pêcheurs... Pour isoler des crabes agressifs, à vendre frais sur les marchés, ils les emmaillotaient dans du varech.

Ils les « enserraient ».

L'expression était reprise par la faune des rues pour désigner les « hors limites ». Une personne « enserrée au varech » était partout *non grata*, isolée par des barricades de menaces et d'interdits...

Entreri se rembrunit.

— L'ordre est venu des plus grandes guildes. Elles n'hésiteraient pas à réduire mon établissement en cendres et à nous massacrer. Vous ne pouvez me reprocher de vous refuser l'accès de mon auberge.

L'humain hocha la tête. Il eût été mal venu de critiquer le pragmatisme chez autrui.

— Pourtant, vous prenez le risque de me prévenir...

Dwahvel haussa les épaules.

— Seulement pour vous expliquer mes raisons. Et pour ne pas m'attirer votre ressentiment... Votre seule présence sème la panique. Ces temps derniers, le vieux Basadoni fait davantage figure de marionnette que de chef. Les nouveaux dirigeants vous connaissent uniquement de réputation. Et tous redoutent que leurs rivaux fassent appel à vous pour les éliminer.

— Est-il inconcevable qu'Artémis Entreri ait voulu rentrer au pays et rien d'autre ?

— Non... Mais tant qu'on continuera à vous craindre...

— Je resterai « enserré au varech ».

— Faites bien attention à vous, conclut Dwahvel. Beaucoup de gens adoreraient accrocher votre tête à leur tableau de chasse. Un superbe trophée...

— Que savez-vous au juste ?

— Avant votre isolement, mes espions avaient glané quelques informations. De jeunes tueurs les ont pressés de questions à votre sujet. Alors restez sur vos gardes.

Sur ces mots, elle s'éclipsa.

Soupirant, Entreri reprit son chemin.

Sans se soucier qui pouvait se tapir dans l'ombre.

Un assassin, peut-être.

Que lui importait, au fond ?

On meurt tous un jour...

Giunta le Devin et Kadran Gordeon épiaient Perry, qui suivait Entreri.

Giunta passait sa vie à espionner les autres. A force, il prédisait leurs actes avec une précision redoutable.

— Pourquoi Bodeau risquerait-il tout pour abattre Entreri ? s'étonna Kadran Gordeon. Il n'ignore pas les directives...

— Tu pars du principe que Bodeau est au courant, dit Giunta. Or, Chien Perry a les dents très longues. Il se fait appeler « Le Cœur », car il arrache à ses victimes leur cœur encore palpitant... Un audacieux qui me rappelle quelqu'un..., ironisa Giunta, un regard éloquent tourné vers son compagnon.

Celui-ci sourit. Chien Perry rappelait effectivement Kadran au temps de sa folle jeunesse. Les années l'avaient ramené à plus d'humilité, même s'il restait trop arrogant au goût de certains...

Chien Perry passait de toiture en toiture. D'évidence, il était moins raffiné et moins sage que Kadran. Jamais ce dernier n'aurait osé s'attaquer à Entreri.

Pas sans une longue préparation...

— Il doit avoir des alliés dans le secteur, remarqua Kadran. Voyons les autres toitures... Ce jeune chiot n'est tout de même pas fou au point de traquer Entreri seul !

Giunta élargit le champ de vision. Artémis Entreri remontait le boulevard principal...

— Oh, regarde ! fit le sorcier, désignant un autre personnage louche, loin derrière Entreri. C'est un homme de Bodeau, je crois.

— Il ne semble guère pressé de rattraper sa proie, souffla Kadran.

L'individu hésitait tant qu'il se laissait distancer.

— C'est peut-être un simple espion, hasarda Giunta. S'il entend se battre aux côtés de Perry, il a intérêt à se hâter. Entreri n'aime pas faire traîner les choses en longueur et...

Sa voix mourut. Perry venait de s'accroupir sur une gouttière, prêt à bondir.

Dans un instant, Entreri allait passer près de lui...

Nerveux, Kadran s'humecta les lèvres.

— Nous pourrions l'avertir...

— Entreri est déjà sur ses gardes, objecta le sorcier. Il a sûrement senti qu'on l'espionnait. Un homme de son talent... (Il gloussa). Adieu, Chien Perry.

L'audacieux sauta derrière sa proie et bondit à une telle vitesse que n'importe qui serait mort avant de comprendre ce qui arrivait.

N'importe qui... ou presque.

Entreri pivota à la même seconde et dévia le coup. Du même élan, il trompa la garde de Perry, le poignardant à l'aisselle.

Puis, avec une telle rapidité que Perry ne put pas réagir, Entreri pivota de nouveau et saisit son agresseur par le menton. Sa dague transperça la nuque de Perry, s'enfonçant dans la cervelle.

Giunta désigna l'extrémité de la ruelle, d'où le compagnon médusé de Perry venait d'assister à la scène.

L'homme décampa sans demander son reste.

— Mais oui, mon brave, ricana Giunta. Cours donc avertir les rats d'égout de ton espèce qu'Artémis Entreri est bien de retour...

Kadran Gordeon regarda le cadavre du vaincu. Pensif, il pinça les lèvres... Il avait caressé l'idée de s'attaquer à Entreri. L'étonnant talent de l'homme le choquait.

Voilà qui le forçait à réviser ses prétentions à la baisse ! Ayant vu le fameux tueur à l'œuvre, il comprenait qu'il n'avait pas volé sa réputation.

Mais Kadran Gordeon n'était pas Chien Perry.

Pourquoi ne pas rendre une petite visite à l'ancien roi des assassins ?

— Exquis...

C'était la voix de Sharlotta.

Les deux hommes se tournèrent.

— Basadoni m'avait dit que je serais impressionnée... Comme Entreri est vif et efficace !

— Devrais-je faire payer sa transgression à la guilde de Bodeau ? demanda Kadran.

— Oublions ça ! ordonna Sharlotta, les yeux brillant d'admiration. Concentrons-nous plutôt sur ce qui en vaut la peine : Entreri ! Trouvez-le et engagez-le. Voyons quelle mission nous pourrions lui proposer.

Drizzt découvrit Catti-Brie assise près de Régis, qui lui essuyait le visage avec un chiffon. Sa hache brandie, Bruenor faisait les cent pas, jurons aux lèvres.

Le Drow comprit aussitôt ce qui s'était passé.

Et il ne s'en étonna guère.

— Ce n'est pas sa faute, dit Catti-Brie à son père, tentant de l'apaiser.

Malgré sa propre colère, tout comme Drizzt, elle comprenait les tourments dont souffrait Wulfgar.

— Je pense qu'il m'a prise pour quelqu'un d'autre, ajouta-t-elle.

Le Drow hocha la tête.

— Comme lors du combat contre les géants... Il a dû être replongé dans le passé...

— Alors, vous allez l'absoudre ? s'emporta Bruenor. On ne peut pas tenir ce garçon pour responsable de ses actes, c'est ça ? Bah ! Je lui collerai une telle raclée que les années avec Errtu seront du pipi de chat ! Va le chercher, l'elfe ! Ramène-le donc, qu'il nous explique combien il est désolé. Ensuite, je lui expédierai mon poing dans la figure ! Je commence à en avoir ma claque d'Errtu ! On ne peut pas vivre dans le passé !

Si Wulfgar était revenu à ce moment-là, Catti-Brie, Régis, Camlaine et les siens auraient eu du mal à retenir le nain...

Et à voir Catti-Brie dans cet état, un œil poché, le nez rouge, le Drow n'était pas certain qu'il retiendrait Bruenor...

Drizzt tourna les talons et s'en fut.

Wulfgar ne pouvait pas être loin.

La lune brillait au-dessus de la toundra.

Hors du camp, l'elfe noir sortit sa statuette...

Guenhwyvar courut bientôt dans la nuit, guidant Drizzt avec ses feulements.

La panthère partit plein est, vers les pics noirs de l'Epine Dorsale du Monde, et non vers Dix-Cités.

Elle atteignit rapidement les contreforts... Une aire dangereuse, car les éperons rocheux offraient des cachettes idéales aux monstres ou aux bandits de grand chemin.

Wulfgar avait-il soif de danger à ce point ?

Cherchait-il à tout prix la bagarre ?

Ou flirtait-il avec la mort, espérant qu'un géant mette fin à ses souffrances ?

Drizzt soupira à cœur fendre.

En revoyant la déconvenue et le chagrin de Catti-Brie, il songea que la mort de Wulfgar, à ce stade, serait un moindre mal...

Un appel de Guenhwyvar le tira de ses réflexions. Il gravit une pente escarpée et bondit sur un éboulis.

Un grognement humain suivi d'un bruit de pierres qui éclatent lui firent tendre l'oreille. C'était Wulfgar, qui abattait son marteau de guerre sur les rochers.

Guenhwyvar feula.

Drizzt sauta près du barbare à l'instant où Aegis-fang réapparaissait entre ses mains. Devant le regard fou de Wulfgar, Drizzt crut un instant devoir sortir ses cimeterres et combattre.

Mais le jeune homme se calma. La colère passée, il retomba dans son accablement.

— Je ne savais pas...

— Je comprends, assura Drizzt, tâchant de se montrer compatissant.

— Ce n'était pas Catti-Brie... Je n'étais plus avec elle mais dans les ténèbres.

— Je sais. Elle comprend aussi. Mais apaiser Bruenor sera plus difficile.

Drizzt se fendit d'un sourire chaleureux, pour réconforter son ami.

En vain.

— Il a raison d'être outré, admit le barbare. Comme je le suis aussi, à un point que tu n'imagines pas.

— Ne sous-estime pas les trésors de l'amitié. Un jour, j'ai fait cette erreur, et j'ai presque tout perdu.

Incapable d'en convenir, Wulfgar secoua la tête. Il n'y avait pas de pardon possible pour ce qu'il avait fait... Et ce qu'il referait sans doute.

— Je suis perdu, souffla-t-il.

— Nous t'aiderons à retrouver ta voie, promit Drizzt, posant une main réconfortante sur son épaule.

Wulfgar le repoussa.

— Non ! C'est fini ! Sous l'ombre maléfique d'Errtu, je ne suis plus moi-même... ou celui que vous voulez que je sois...

— Nous voudrions seulement que tu te rappelles qui tu étais. Dans la grotte de glace, nous étions heureux de retrouver Wulfgar, le fils de Beornegar.

— Vous vous trompez. Je ne suis plus l'homme que vous avez laissé à Mithril Hall.

— Le temps guérit tout...

— Non ! rugit Wulfgar. Je ne veux pas redevenir comme avant ! J'ai compris mes erreurs !

Drizzt le dévisagea.

— Parce que frapper une femme qui a confiance en toi, c'est être meilleur ?

Wulfgar soutint son regard. Le Drow posa les mains sur ses cimeterres.

La colère monta en lui, submergeant la compassion. Si Wulfgar attaquait, Drizzt ne chercherait pas à retenir ses coups...

Le barbare se détendit, dissipant la tension.

— Je te regarde, Drizzt, et je me rappelle que tu es mon ami au prix d'un violent effort ! Il m'est devenu naturel de t'exécrer et de détester tout ce qui m'entoure. Quand la haine sera la plus forte, je ne me contrôlerai plus.

— Comme avec Catti-Brie...

Le jeune homme hocha la tête.

— Je ne l'ai plus reconnue... A sa place, j'ai vu une succube. Ces créatures me volaient toute volonté. Elles ne me laissaient pas des brûlures ou des plaies mais le poids de la culpabilité. Je voulais résister... Je...

— Il suffit, mon ami. Ce n'était pas Wulfgar qui échouait mais Errtu qui se montrait d'une infinie cruauté.

— Les deux, fit le barbare avec lassitude. Et l'échec engendre la faiblesse.

— Nous en reparlerons avec Bruenor. Cet incident nous guidera.

— Dis tout ce que tu voudras au nain ! lança le barbare, soudain glacial. Je ne serai plus là pour l'entendre.

— Tu retournes chez ton peuple ?

— J'irai où mes pas me porteront. Seul.

— Jadis, j'ai longtemps joué à ce jeu...

— Jeu ? répéta Wulfgar, incrédule. Jamais je n'ai été plus sérieux de ma vie ! Retourne avec tes amis. C'est ton destin. Souvenez-vous de moi tel que j'étais... Un homme qui n'aurait jamais frappé Catti-Brie.

Drizzt ouvrit la bouche... et se ravisa.

Il regarda l'humain qui lui faisait face.

Il aurait voulu le ramener à un comportement plus rationnel...

Mais comment ?

S'il continuait ainsi, le barbare risquait de blesser quelqu'un. Ou de se battre avec Bruenor.

Voire avec Drizzt !

A ce stade, tout était envisageable. Y compris que Catti-Brie soit forcée d'abattre son ancien fiancé d'une flèche en plein cœur...

Des scénarios improbables ?

Le Drow n'en aurait pas donné sa main à couper.

Wulfgar s'écarta. Drizzt le prit par le bras.

Le barbare se dégagea encore.

— Adieu, Drizzt Do'Urden.

Des paroles poignantes, lucides et pleines de regret.

Comme le Drow aurait voulu qu'il en fût autrement !

Que Wulfgar puisse partir avec ses amis vers de nouvelles aventures !

A moins de le blesser ou de l'assommer, Drizzt ne voyait pas le moyen de le retenir.

D'ailleurs, il ne le devait pas.

— Trouve-toi toi-même, Wulfgar. Et retrouve-nous.

— Peut-être...

Sans un regard en arrière, il s'en fut.

Pour Drizzt Do'Urden, le chemin du retour au campement fut le plus long de sa vie.

DEUXIÈME PARTIE

ARPENTER LES SENTIERS DU DANGER

Nous suivons tous notre voie. Cela paraît une évidence, mais dans un univers où tout le monde refoule ses véritables sentiments et ses désirs par égard pour autrui, on s'en écarte en réalité beaucoup...

Si on veut vraiment trouver le bonheur au bout du chemin, il faut écouter son cœur et ne pas suivre aveuglément les autres.

En quittant Menzoberranzan, j'ai compris cette vérité.

Au Val Bise, au terme d'une longue errance, j'ai fait la connaissance de merveilleux amis.

Après le combat qui opposa Menzoberranzan à Mithril Hall, je sus que mon destin était ailleurs. J'avais besoin de voyager, de découvrir de nouveaux horizons... Catti-Brie le comprit aussi. Elle en avait autant besoin que moi. Voilà pourquoi j'acceptai avec joie qu'elle m'accompagne.

Nous devons tous suivre notre destin...

Ce matin-là, le chemin de Wulfgar s'écartait du nôtre.

Comme j'aurais voulu le retenir ! L'implorer ou l'assommer et le ramener au camp...

Le regarder partir me peina autant que lorsque je crus que le yochlol l'avait tué.

La jalousie m'avait-elle empêché de convaincre Wulfgar de revenir sur sa décision ? Voyais-je en lui un rival menaçant la relation que je construisais patiemment avec Catti-Brie ?

Quand je rejoignis mes amis, j'avais chassé ces pensées de mon esprit.

J'avais moi aussi une route à suivre.

A Catti-Brie de choisir le cours de son existence.

La partagerait-elle avec moi ?

Dans tous les cas, je respecterais sa décision.

Nul ne pouvait plus rien pour notre ami. Il devait lécher ses plaies et guérir. Rien de ce que je lui dirais ne le réconforterait.

C'était la peur qui chassait Wulfgar loin de nous. Conscient de ne plus contrôler les démons qui le taraudaient, il craignait de nous blesser. Ou pire.

La honte aussi lui dictait sa conduite.

Comment affronter Bruenor après avoir humilié sa fille ? Et quand il y avait toutes les chances qu'un drame semblable se reproduise ?

Incapable d'échapper à l'emprise d'Errtu, Wulfgar se jugeait faible et lâche. Il s'agissait pourtant de simples réminiscences... rien de tangible. D'un point de vue pragmatique – celui de Wulfgar –, être vaincu par de vulgaires souvenirs était le signe d'une lâcheté méprisable. Dans sa culture, être défait au combat n'a rien de déshonorant. L'indignité, c'est de fuir le champ de bataille...

Si on suit ce raisonnement, être incapable de vaincre un monstre effroyable est acceptable.

Mais être brisé par une chose aussi intangible que des souvenirs, quelle couardise !

Wulfgar comprendra que ce raisonnement est faux. Je l'espère. S'avouer impuissant face aux horreurs des Abysses n'a rien de honteux.

L'accablement dissipé, il vaincra enfin ce qui le ronge. Et il reviendra au Val Bise, vers ceux qui l'aiment.

C'est mon espoir. Hélas pas ce que je prévois....

Wulfgar s'est enfui vers les contrées sauvages de l'Epine Dorsale du Monde, où les yétis, les géants, les gobelins et les loups rôdent...

A-t-il l'intention de regagner la toundra, après avoir bravé la montagne et ses périls ? Ou ira-t-il au sud ? Flirtera-t-il avec la mort pour se prouver qu'il n'a rien perdu de son courage ?

Jusqu'à y perdre la vie, mettant ainsi un terme définitif à ses souffrances ?

Je le redoute. A chacun sa destinée.

Le chemin qu'a pris Wulfgar est très étroit...

Drizzt Do'Urden

CHAPITRE VIII

SIGNAUX PAR INADVERTANCE

Le départ de Wulfgar priva les compagnons de leur joie de retrouver les chemins de l'aventure.

Les premières réactions de ses amis étonnèrent l'elfe noir. Comme prévu, Régis et Catti-Brie commencèrent par pousser des hauts cris, clamant qu'il fallait ramener Wulfgar sur-le-champ.

Bruenor vitupéra contre les « stupides humains ».

Le calme revenu, Catti-Brie la première souligna que le barbare devait suivre sa voie. Elle n'éprouvait ni colère ni ressentiment contre celui qui l'avait agressée.

Mais elle savait à quoi s'en tenir. Comme Drizzt, elle comprenait qu'on ne saurait exorciser ses démons en écoutant les paroles de réconfort d'autrui.

Ou même en se lançant à corps perdu dans les batailles.

Catti-Brie avait tenté d'aider Wulfgar. A ses dépens, elle avait constaté qu'elle était aussi impuissante que les autres.

Nul ne pouvait secourir Wulfgar. Sinon lui-même.

Les quatre amis reprirent leur chemin, escortant les marchands vers le sud.

Cette nuit-là, Drizzt rejoignit Catti-Brie à la lisière du campement. La jeune femme sondait l'obscurité.

— Il ne reviendra pas tout de suite, tu sais, souffla l'elfe noir.

— Il a tort d'agir ainsi, fit Catti-Brie à voix basse après un long silence. On ne peut rien pour lui. Néanmoins, il aurait pu rester avec nous au lieu d'errer dans des contrées sauvages.

— Il ne voulait pas que nous assistions à son combat. L'orgueil a toujours été son plus grand défaut. Ainsi le veut sa culture. Sans cette fierté qui leur tient tant à cœur, les barbares de la toundra s'estiment comme des moins que rien. La faiblesse n'a pas droit de cité. Ils ne la tolèrent pas plus chez eux que chez les autres. Devant son incapacité à balayer de simples souvenirs, aussi pénibles soient-ils, Wulfgar se juge lâche.

Catti-Brie secoua la tête.

D'un doigt léger, Drizzt caressa l'arête du nez encore endolori de son amie.

Elle soupira.

— Il y a plus de bobo que de mal...

— Bruenor ne serait peut-être pas d'accord.

Catti-Brie sourit.

Depuis des années, Wulfgar était comme un fils pour le roi du clan Battlehammer. A la mort de Wulfgar, le nain avait été dévasté.

Le plus tragique, c'était que ses amis voulaient aider le jeune homme... Et que personne n'en avait les moyens.

Blottie contre l'épaule de Drizzt, Catti-Brie rêva, les yeux perdus dans la nuit.

Les deux jours suivants se déroulèrent sans incident. Plus d'une fois, Drizzt remarqua les empreintes laissées par l'encombrant ami de Régis. Le géant les suivait discrètement. Mais tant qu'il ne s'approchait pas, le Drow était disposé à le laisser en paix.

Le troisième jour, Luskan fut en vue.

— Vous voilà arrivé à destination, Camlaine, annonça Drizzt. Vous accompagner fut un plaisir.

— Et on s'est régalés ! s'écria Régis, faisant rire tout le monde.

— A notre retour, si vous êtes encore dans le coin, nous vous escorterons de nouveau, proposa Drizzt.

— Nous en serions enchantés, répondit le marchand, lui serrant chaleureusement la main. Adieu. Où que vos pas vous mènent, la chance vous sourira. Les monstres n'ont qu'à bien se tenir !

Le chariot s'ébranla en direction de la ville.

Les quatre amis le regardèrent s'éloigner.

— Pourquoi ne pas continuer la route avec Camlaine ? proposa Régis. Tu commences à être très connu à Luskan, Drizzt...

L'elfe noir secoua la tête.

— Je peux en effet m'y promener en toute liberté. Cependant, notre destination est le sud-est. Et une longue route nous attend.

— Mais à Luskan..., insista Régis.

— Ventre-à-pattes imagine que mon garçon pourrait être en ville, coupa Bruenor.

— Ce n'est pas impossible, admit Drizzt. Je l'espère, d'ailleurs, car Luskan est moins dangereuse que l'Epine Dorsale du Monde.

Bruenor et Régis le regardèrent, perplexes. Dans ce cas, pourquoi ne pas avoir continué avec les marchands, en effet ?

— Si Wulfgar est vraiment à Luskan, mieux vaut ne pas y aller, répondit Catti-Brie à la place de Drizzt.

— Comment ? s'écria Bruenor.

— Wulfgar nous a quittés, rappela Drizzt. De son plein gré. Crois-tu que trois jours auront suffi à régler ses problèmes ?

— On ne le saura pas si on ne le lui demande pas, bougonna le nain.

Mais la réalité était là. Drizzt avait raison. Pourquoi se voiler la face ? Sa décision prise, Wulfgar ne reviendrait pas dessus.

— Notre arrivée l'irritera, argumenta l'elfe noir. Il l'interprétera comme une ingérence dans ses affaires. Ensuite, il sera encore plus honteux de s'être de nouveau emporté.

Levant les bras au ciel, Bruenor s'avoua vaincu.

Les quatre amis contemplèrent la ville, espérant que Wulfgar s'y trouvait, puis ils reprirent leur route.

Dans une semaine, ils seraient à Eau Profonde. Ensuite, à bord d'un navire marchand, ils se rendraient à la Porte de Baldur. De là, ils gagneraient la cité d'Iriaebor. Etape suivante : Caradoon...

Armé de cartes et des informations glanées auprès des marchands de Bryn Shander, Régis avait peaufiné le trajet. Mieux valait prendre la mer à Eau Profonde qu'à Luskan. Il y avait davantage de trafic maritime.

Les compagnons aimaient l'aventure. Sillonner les Royaumes les transportait d'allégresse. Découvrir de nouveaux horizons, changer d'air... C'était merveilleux !

Mais après la défection de Wulfgar, tout cela avait perdu son sel...

Pourquoi ne pas contacter les mages de Luskan pour requérir leur aide et faire venir Cadderly en un clin d'œil ? Le problème de Crenshinibon serait aussitôt réglé.

Ou faire appel aux puissants seigneurs d'Eau Profonde ? N'étaient-ils pas les parangons de l'ordre et de la justice ? Ils pourraient rapidement résoudre le problème de l'artefact magique.

Si un des quatre amis avait formulé ses pensées, l'aventure se serait terminée à Luskan.

Mais ils étaient trop désemparés par le départ de Wulfgar...

Quand le soleil déclina, Luskan et tout espoir de retrouver le barbare avait disparu.

Le géant continuait de suivre le groupe à distance. Quand Régis, Bruenor et Catti-Brie dressèrent le camp, Drizzt et Guenhwyvar repérèrent des empreintes caractéristiques qui menaient vers un bosquet, à moins de trois cents pas.

Peu de géants quittaient l'Epine Dorsale du Monde pour s'aventurer dans des régions plus civilisées, au risque de tomber sous les coups de milices organisées...

Quand Drizzt revint au camp, le petit homme dormait à poings fermés. L'elfe le réveilla.

— Il est temps de s'occuper de notre ombre géante...

— Tu es disposé à nous parler de tes plans de bataille, Drizzt ? lâcha Bruenor, incrédule.

— J'espère qu'il n'y aura pas d'affrontement, répondit le Drow. A notre connaissance, ce géant ne menace pas les convois de marchands. Je ne vois aucune raison de le combattre. Mieux vaut le convaincre de retourner chez lui sans dégainer nos armes.

Bâillant à s'en décrocher les mâchoires, Régis fit mine de replonger sous ses couvertures. Trop leste pour lui, Drizzt le rattrapa par le col et le mit debout.

— Ce n'est pas mon tour de garde ! protesta le petit homme.

— C'est toi qui nous as amené ce géant. A toi de le convaincre de repartir, lança Drizzt.

— Le géant ? fit Régis, mal réveillé.

— Ton *grand* ami, précisa Bruenor. Il nous a pris en filature ; il serait temps qu'il nous fiche la paix. A toi de te débrouiller avec ton fichu rubis magique, si tu ne veux pas qu'on lui taille un costume en sapin !

Régis éprouvait une certaine affection pour le géant. Il secoua la tête, histoire de se remettre les idées en place. Puis il suivit ses amis, qui avaient déjà levé le camp.

Flanqué de Guenhwyvar, Drizzt entra le premier dans le bosquet. Loin de se cacher, le géant avait même allumé un feu !

Convaincu que le monstre était seul, Drizzt surgit dans la clairière.

Junger – car c'était bien lui – ne fut guère surpris.

— Etrange que nous nous retrouvions ainsi, lança Drizzt, les mains posées sur les pommeaux de ses cimeterres. Je te croyais de retour dans ta montagne.

— J'ai changé d'avis.

L'élocution aisée du géant et sa maîtrise de la grammaire étonnèrent de nouveau le Drow.

— Vraiment ?

— Il est des appels auxquels on ne saurait résister, n'est-ce pas ?

— Régis ! lança Drizzt par-dessus son épaule.

Avec une discrétion toute relative – aux yeux d'un elfe noir –, ses compagnons apparurent. Du coin de l'œil, Drizzt repéra sa panthère, tapie sur une branche basse. D'un bond, elle pouvait à tout instant sauter à la gorge de Junger.

— Avec le petit homme, précisa Drizzt, l'appel sera plus clair.

— Le petit homme ? répéta Junger, confus.

Bruenor se campa près du Drow, Catti-Brie, armée de son arc, se tenant derrière son père.

Régis suivit, se plaignant d'une égratignure à la joue.

— Junger a reçu l'ordre de nous suivre, dit l'elfe noir. Régis, montre-lui une meilleure voie...

Un sourire épanoui sur les lèvres, le petit homme imprima un balancement hypnotique au rubis.

— Arrière, petit rongeur ! beugla le géant, détournant le regard. Cette fois, tu ne m'auras pas !

— Pourtant, tu entends son appel ! protesta Régis.

— C'est vrai, admit Junger. Mais il ne s'agit pas de toi.

— Comment ? Je détiens la gemme !

— La gemme ? Que m'importent tes maigres trésors comparés aux richesses incomparables de Crenshinibon ?

A ces mots, les compagnons écarquillèrent les yeux.

Sauf Régis, trop occupé à mettre en œuvre son enchantement...

— Regarde donc ces fascinants reflets, mon ami ! Ils t'appellent de tous leurs feux et te commandent de... *Eh !*

Bruenor venait d'écarter le petit homme sans ménagement, l'envoyant rouler près de Drizzt.

Junger s'élança, la main tendue.

Catti-Brie la lui transperça d'une flèche.

— Au prochain tir, je viserai ton visage, promit la guerrière au géant.

Drizzt s'efforça de garder la situation en main. Il n'avait aucun amour pour les géants, mais celui-là, abusé par des forces démoniaques, éveillait sa sympathie.

— Junger, tu as bêtement répondu à un appel qui ne t'était pas destiné. Crenshinibon ? Qu'est-ce donc ?

— Vous le connaissez bien. Toi plus que quiconque, elfe noir, dit le géant. Tu le détiens, mais il te repousse ; c'est moi qu'il veut !

— Je ne sais rien sur toi à part ton nom. Pourtant, je t'offre une chance de repartir en paix.

— Ne crains rien, ricana le géant. Je compte bien retourner dans l'Epine Dorsale du Monde. Dès que j'aurai Crenshinibon...

Le monstre attaqua sans crier gare, arrachant une branche à l'arbre où il avait pris appui pour la lancer sur le groupe.

Catti-Brie plongea à l'abri.

Junger trouva aussitôt l'elfe noir dressé devant lui, cimeterres brandis...

Bruenor chargea aussi. Sa hache cisailla un des tendons d'Achille du géant.

Simultanément, six cents livres s'abattirent sur les épaules de Junger, lui faisant perdre l'équilibre. Et Catti-Brie lui tira une flèche dans les reins.

Hurlant et tourbillonnant comme une toupie, le géant s'écroula.

Drizzt, Bruenor et Guenhwyvar s'écartèrent.

La brute se mit à quatre pattes.

— Retourne d'où tu viens ! cria le Drow.

Beuglant, le géant chargea, les bras tendus.

Il les replia aussitôt, les mains en sang.

La flèche suivante s'enfonça dans sa hanche.

Drizzt allait de nouveau tenter de le raisonner, quand, prenant son élan, Bruenor sauta sur ses épaules et abattit sa hache.

Guenhwyvar happa un des bras de Junger, que ses forces abandonnaient rapidement.

Puis ce fut la fin.

Régis flanqua un coup de pied dans la branche que le géant avait arrachée.

— Nom d'un ver de terre ! Pourquoi l'avez-vous tué ?

— Tu voyais une autre solution ? s'écria Bruenor. (Il dégagea sa hache du crâne du vaincu.) Parlementer avec un ennemi qui pèse ses deux mille livres, très peu pour moi !

— Le tuer ne me plaisait pas, admit Drizzt. Il aurait mieux valu qu'il retourne dans sa grotte.

— J'aurais pu l'en convaincre ! insista Régis.

— Non, dit le Drow. Ton pendentif est puissant, je le concède. Mais contre Crenshinibon, il ne fait pas le poids, hélas.

Le Drow sortit l'Eclat de Cristal de la bourse pendue à sa ceinture.

— Eh bien, fit Catti-Brie, qu'il attire donc les monstres à nous ! On les abattra les uns après les autres au lieu de leur courir après par monts et par vaux !

Son ton glacial surprit tout le monde.

— Comme vous l'aurez remarqué, cette saleté n'a pas de prise sur nous, ajouta-t-elle. Donc, ceux qui tombent sous sa coupe ont mérité leur sort !

— Il semble que Crenshinibon ne trouve d'écho que chez les êtres déjà enclins à la corruption, renchérit Drizzt.

— Voilà qui va pimenter nos pérégrinations ! lança Catti-Brie.

Elle n'eut pas besoin d'en dire plus.

Chacun regrettait déjà l'absence de Wulfgar.

Une absence qui n'avait pas fini de se faire sentir.

Après avoir fouillé le camp du géant, les compagnons quittèrent le bosquet.

Ils décidèrent de doubler la garde. Chaque nuit, à tour de rôle, deux d'entre eux prendraient du repos et deux veilleraient.

Régis ne fut pas ravi.

CHAPITRE IX

REMPORTER L'APPROBATION

Tapi dans l'ombre, le tueur regarda le sorcier remonter le corridor. LaValle entra dans ses appartements, ferma la porte et alluma une bougie.

Entreri serra les poings. Devait-il obliger le sorcier à reconnaître ses torts, ou le tuer sans autre forme de procès ?

LaValle ne l'avait pas averti des intentions de Chien Perry.

Entreri sortit de l'ombre.

Ses instincts de guerrier l'avertirent aussitôt.

L'attitude trop décontractée de LaValle ? Un petit bruit, à peine perceptible ?

Le sorcier se retourna... et sursauta.

Mais il ne semblait ni surpris ni effrayé.

— Croyais-tu que Chien Perry me vaincrait ? lança Entreri, sarcastique.

— Chien Perry ? Je ne l'ai pas revu...

— Ne mens pas ! Je te connais trop bien. Espionner tous les protagonistes de l'histoire, c'est ta marotte et ta raison d'être.

— Pas tous, manifestement...

Entreri n'en aurait pas juré.

— Tu devais me prévenir... Perry a cherché à me poignarder sans que tu lèves le petit doigt !

Avec un soupir, LaValle prit un siège.

— J'étais au courant, admit-il. Mais je ne pouvais pas agir. Comprends-le... Tout contact avec toi a été interdit. « L'*Enserrement* au varech »...

— LaValle respecte rarement de tels ordres...

— C'était différent dans ce cas, dit une troisième voix.

Un homme mince et coquet apparut sur le seuil de la pièce.

Le tueur se raidit. Il venait de vérifier que personne ne s'y trouvait ! Et que les deux autres salles étaient également vides...

— Voici le chef de notre guilde, dit LaValle. Quentin Bodeau.

— L'ordre ne venait pas d'une guilde en particulier, expliqua Bodeau, mais des trois principales de Calimport. Ne pas le respecter, c'était signer notre arrêt de mort.

— Toute tentative de t'aider aurait été détectée, renchérit LaValle. Quoi qu'il en soit, l'issue du duel ne faisait de doute pour personne...

— Si Chien Perry n'était pas une véritable menace pour moi, pourquoi l'avoir laissé agir ? objecta Entreri.

Bodeau haussa les épaules.

— L'individu n'était guère raisonnable. Il a signé son propre arrêt de mort.

— En effet. Il ne vous causera plus d'ennuis.

Bodeau esquissa un pauvre sourire.

— Vous devez apprécier notre position...

— Vous voudriez que je croie un homme qui a ordonné mon exécution ? s'écria Entreri.

— Je n'ai rien fait de pareil !

Une quatrième voix s'éleva.

Féminine.

— Si nous pensions Quentin responsable de cet attentat, sa guilde n'existerait plus.

Une femme brune élancée apparut, flanquée d'un guerrier aux moustaches tombantes et d'une silhouette mince, aux traits dissimulés par une capuche.

Deux gardes suivaient le trio.

Un autre mage doit se dissimuler dans l'étude, songea Entreri.

Tous ces individus rayonnaient de décontraction. Même des bretteurs émérites n'auraient pas eu une telle attitude face à Artémis Entreri...

— Je suis Sharlotta Vespers, dit la femme. Voilà Kadran Gordeon et La Main, lieutenants comme moi de la guilde Basadoni. Notre pasha se réjouit de votre retour.

Mensonge...

Si Basadoni vivait encore, sa guilde aurait contacté Entreri beaucoup plus tôt, et dans d'autres circonstances.

— Etes-vous affilié ? demanda Sharlotta.

— Je ne l'étais pas en quittant Calimport.

— Eh bien, voilà que vous l'êtes, susurra Sharlotta.

Entreri n'était pas en position de la contredire.

Ainsi, il ne serait pas exécuté. Pas tout de suite, en tout cas. Il n'aurait pas à vivre avec des milliers d'yeux braqués sur le dos ni à repousser les tentatives de fous comme Chien Perry. La guilde Basadoni prenait Entreri dans son giron. Le tueur était libre de remplir les contrats à sa convenance, pourvu que ses principaux interlocuteurs soient La Main et Kadran Gordeon.

Un homme en qui il n'avait pas confiance.

Assis sur le toit du *Cuivre Ante*, cette nuit-là, Entreri songea qu'il n'aurait pu espérer mieux.

Pourtant, il n'était pas heureux.

Il pouvait reprendre ses anciennes activités et se tailler une réputation en or massif.

Mais il saisissait mieux maintenant les limites d'une pareille gloire. Se hisser de nouveau au pinacle de sa profession ne comblerait pas le vide qui le rongeait.

Il ne voulait pas redevenir un tueur à gages. C'était aussi simple que ça.

Pragmatique dans l'âme, Entreri décida de prendre les choses comme elles se présenteraient.

Le pied agile et sûr, il sauta à terre et rentra dans l'auberge.

Tous les yeux convergèrent vers lui. Il s'en moquait.

Il gagna la porte du fond.

Un petit homme fit mine de lui barrer le chemin.

D'un regard, Entreri l'écarta.

Revoir Dondon et sa graisse le choqua autant que la première fois.

— Artémis ! Entre, mon ami. Assieds-toi et partage mon repas !

Entreri avisa la petite montagne de douceurs, et les deux femelles peinturlurées qui encadraient comme toujours l'épave.

Il s'assit à bonne distance de l'obèse...

— Détends-toi, profite des fruits de ton travail ! Te voilà de retour avec Basadoni, dit-on. Tu es donc libre. (L'ironie de la situation échappait visiblement à Dondon.) A quoi bon vivre aussi dangereusement si tu es incapable de profiter de la vie et de ses plaisirs ?

— Comment est-ce arrivé ? demanda Entreri.

Perplexe, le petit homme le regarda.

D'un geste, son visiteur désigna les victuailles, les petites femmes et la montagne adipeuse qu'était le ventre de Dondon.

Ce dernier se rembrunit.

— Tu connais la raison de ma présence ici.

— Je sais que tu te caches. Mais pourquoi ?

Entreri laissa son regard s'attarder sur les rangées de plats et sur les filles.

— J'ai choisi de savourer...

Le tueur n'était pas d'humeur à écouter des fadaises.

— Si je t'offrais une chance de reprendre ton ancienne vie, l'accepterais-tu ? (Dondon le regarda, les yeux ronds.) Si tu pouvais de nouveau circuler en ville sans risquer ta vie, serais-tu heureux ? Ou préfères-tu cette existence qui n'en est pas une ?

— Tu parles par énigmes.

L'assassin tenta de croiser le regard de Dondon, même si les paupières tombantes sur des pupilles ternes lui répugnaient.

La colère monta de plus belle en lui. Pour un peu, il aurait lardé l'obèse de coups de couteau.

Mais Artémis Entreri n'était pas homme à tuer sous l'emprise de la passion.

Jamais.

— Reviendrais-tu en arrière ? insista-t-il.

Dondon ne souffla mot.

C'était la pire des réponses.

Dwahvel entra.

— Y a-t-il un problème, maître Entreri ?

— Aucun en ce qui me concerne.

Comme il passait devant elle pour sortir, elle le prit par le bras. Heureusement pour l'audacieuse, Artémis était trop préoccupé pour s'offusquer de cette familiarité.

— J'aurais besoin de vos services.

— En échange de quoi ?

— D'informations. Comme convenu.

— Vous m'avez parlé de l'*enserrement* au varech... Ce que j'aurais pu déduire par moi-même. En dehors de ça, vous ne m'avez guère été utile. Alors restons-en là.

Entreri s'éloigna à grandes enjambées.

— Vous risquez de trouver ma porte fermée, la prochaine fois ! lança Dwahvel.

En vérité, il n'en avait cure. En ce qui le concernait, Dondon était mort et enterré.

Néanmoins, il s'arrêta et darda sur la petite femme un regard menaçant.

— Ce ne serait pas sage...

Sur ces mots, il sortit et monta sur le toit.

Livré à la solitude, il réfléchit longuement.

D'où lui venait sa haine contre Dondon ?

Craignait-il de devenir comme lui ?

Absurde ! Jamais il ne se laisserait aller à ce point. La gloutonnerie ne faisait pas partie de ses faiblesses.

Que voyait-il ? Une créature vaincue par la vie, qui avait sombré dans un désespoir sans borne.

La peur de mourir avait poussé Dondon à mener une existence ignoble.

Prisonnier de lui-même, il s'enterrait vif sous des monceaux de graisse.

Et si Entreri s'abandonnait à son tour à l'apathie ?

Le tueur passa la nuit sur son toit, sans trouver de réponses.

On frappa à la porte, suivant le code convenu : deux coups, trois, deux...

La guilde Basadoni.

Artémis Entreri se traîna hors du lit.

Un jeune homme mince et nerveux aux cheveux noirs laineux coupés court et aux yeux fuyants se tenait sur le seuil.

Il brandit un parchemin.

— De la part de Kadran Gordeon.

— Où est-il ? Pourquoi n'a-t-il pas délivré ce pli en personne ?

— De grâce, seigneur, souffla le messager avec un fort accent calimshite, on m'a simplement demandé de vous le remettre...

Il s'inclina, de plus en plus nerveux.

— Kadran Gordeon ?

— Oui !

Entreri referma la porte, pensif. Puis il déroula le parchemin.

Il s'agissait d'éliminer un individu au plus vite. Sans affiliation ni notoriété, dépourvu d'amis et de parenté, c'était vraiment une cible idéale.

Ou un piège ! L'homme était en réalité très dangereux, ou Gordeon donnait à Entreri un pauvre type à abattre histoire de le rabaisser.

Par le passé, les talents du tueur étaient réservés aux missions les plus périlleuses : élimination des chefs de guilde, des sorciers, des nobles ou encore des capitaines de la garde.

Il jeta un dernier coup d'œil au message – il connaissait bien ce quartier –, et sortit.

Le taudis se composait d'une pièce, avec une tenture pour seule séparation.

Par un trou, Entreri épiait la mère, une femme avenante, qui mettait ses gamins au lit.

Une autre tenture, qui tenait lieu de porte d'entrée, fut soudain écartée.

Un jeune homme efflanqué et hagard entra.

— L’as-tu trouvé ? demanda son épouse à brûle-pourpoint.

Il secoua la tête, le regard fuyant.

— Je t’avais supplié de ne pas travailler avec ces gens-là ! Je savais qu’il n’en sortirait rien de bon...

Soudain, ses yeux s’écarquillèrent d’horreur.

Se tournant, l’homme vit l’assassin surgir de l’ombre. Il fit mine de fuir ; le cri de sa femme le cloua sur place.

Il ne pouvait pas l’abandonner !

Entreri analysa le drame domestique. Si sa proie avait pris la fuite, il l’aurait aussitôt rattrapée et abattue.

— Pas ma famille ! implora le condamné. Et pas ici...

Sa femme pleura, bafouillant des supplications. Il la poussa doucement vers la « chambre » des enfants.

— Ce n’était pas ma faute... J’ai supplié Kadran Gordeon de m’accorder un délai. Je trouverais l’argent s’il m’en laissait le temps !

L’Artémis Entreri d’antan n’y aurait prêté aucune attention. Il se moquait éperdument des tracasseries de ses victimes.

Son contrat rempli, il serait reparti sans un regard en arrière.

Aujourd’hui, il se surprenait à s’intéresser à la tragédie qui se jouait devant lui.

— Si vous me promettez d’épargner ma famille, continua l’homme, je ne vous résisterai pas.

— Crois-tu sérieusement pouvoir me résister ?

L’individu secoua la tête.

— Par pitié... Je voulais juste offrir une meilleure vie aux miens... J’ai accepté de transporter des fonds illicites. Je gagnais plus en quelques instants qu’en un mois de labeur !

Une chanson archiconnue... Des gogos comme celui-là, il y en avait à tous les coins de rue. On les surnommait les « chameaux ». Pour ces paysans déracinés, la somme proposée paraissait une fortune... Les guildes avaient recours à ces innocents pour brouiller les pistes... Mais une fois les itinéraires et les « chameaux » connus par la concurrence, des mesures radicales étaient prises.

Même si les intermédiaires survivaient aux embuscades, après s'être fait dépouiller, ils étaient éliminés par leurs propres employeurs.

— Tu savais pertinemment que tu jouais avec le feu, lança Entreri.

L'homme acquiesça.

— Je voulais faire quelques livraisons, c'est tout... Et passer à autre chose...

Entreri éclata de rire. Quelle misère d'être aussi stupide ! Un « chameau » n'avait pas son mot à dire !

Quiconque acceptait ce sale boulot en apprenait rapidement trop aux yeux de la guilde qui l'employait.

Si le chameau se révélait doué, il se voyait offrir un poste au sein de l'organisation. Sinon, il finissait sous les coups de bandits de tout poil.

— Par pitié, ne me tuez pas ici ! Je ne veux pas que ma femme entende mes cris !

Une bile amère monta dans la gorge d'Entreri.

Il regarda le taudis minable, fait de bric et de broc avec ses tentures mangées aux mites...

— Combien dois-tu ? demanda Entreri, se surprenant lui-même.

L'homme leva un regard perplexe sur son bourreau.

— La rançon d'un roi... Près de trente pièces d'or.

Tirant une bourse de sa ceinture, Entreri la soupesa. Elle devait contenir cinquante pièces.

Il la lança. Les yeux exorbités, l'homme la rattrapa au vol.

— Je veux ta parole que tu ne te frotteras plus aux guildes ! Ta femme et tes enfants méritent mieux.

L'individu se jeta aux pieds du tueur.

Entreri sortit en trombe, poursuivi par des exclamations de gratitude et de dévotion éternelle.

En vérité, l'assassin se fichait comme d'une guigne du loqueteux, de sa moitié et de ses mouflets. Mais tuer cette épave ? C'était au-dessous de lui ! Il n'était pas question de jouer le jeu méprisable de Gordeon. Un meurtre aussi vil... Quel déshonneur pour l'illustre Artémis Entreri !

La « dératisation », c'était bon pour les affiliés de première année, ou les gamins de douze ans avides de faire leurs preuves...

Gordeon venait d'insulter gravement Entreri.

Le tueur revint à l'auberge empaqueter ses affaires. Puis il descendit dans une autre taverne, simple et tranquille. Sans doute le domaine d'une guilde concurrente...

Si jamais on découvrait qui il était, il y aurait du grabuge.

Artémis Entreri s'en fichait.

La journée passa, terriblement ordinaire.

Le malaise d'Entreri ne faisait qu'empirer.

Le soir, il descendit prendre son repas, sans rien écouter des conversations alentour.

Il remarqua néanmoins l'arrivée d'un petit homme. Dans ce quartier, les petites gens étaient rares.

Le nouveau venu vint s'installer à sa table.

— Bonsoir, seigneur. Le repas est-il à votre goût ? (Entreri dévisagea l'impudent. Il ne semblait pas armé.) Pourrais-je goûter ? ajouta-t-il.

Le tueur remplit une cuiller de son potage sans avancer le bras. Son vis-à-vis se pencha.

— Dwahvel m'envoie, souffla le petit homme. La guilde de Basadoni vous a repéré. Attendez-vous à de la visite cette nuit.

Il goûta le potage et se frotta la panse.

— Dites à Dwahvel que je suis maintenant son obligé, répondit Entreri à voix basse.

Le petit homme hocha la tête et alla s'installer à une autre table.

L'assassin réfléchit. Fuir ? Il n'avait pas le cœur à ça.

Que les seconds couteaux viennent donc ! Il les attendrait de pied ferme !

Son souper achevé, Entreri remonta dans sa chambre.

Il cacha sa dague magique et son argent dans une fissure sous le rebord extérieur de la fenêtre. Puis, pour donner le change, il installa un piège à fléchettes face à la porte. Cela fait, il s'assit et passa le temps à jouer aux dés.

Tard dans la nuit, il entendit enfin des pas dans l'escalier. Un individu montait « discrètement »...

Entreri aurait fait moins de bruit en marchant normalement. Les grincements cessèrent. Sous la porte, une fine bande de métal apparut.

En moins de deux minutes, un voleur moyen aurait désamorcé le piège...

Entreri huma l'air. Quelque chose brûlait. Avait-on décidé d'incendier la taverne ?

Une odeur de cuir... Entreri baissa les yeux sur sa ceinture et sentit au même instant une vive douleur.

Son collier aussi lui brûlait la peau !

Les maillons artistiquement ouvragés dissimulaient en fait autant de rossignols...

Bondissant sur ses pieds, Entreri se débarrassa du collier, de sa ceinture et de sa dague.

La porte s'ouvrit à la volée. Deux soldats surgirent, épée au poing, flanquant un arbalétrier.

Kadran Gordeon fit son entrée.

— Il suffisait de frapper, vous savez, lâcha Entreri, caustique.

Gordeon jeta aux pieds d'Artémis une pièce d'or à tête de licorne.

Le tueur haussa les épaules.

— Le chameau devait être abattu.

— Il n'en valait pas la peine.

— Etait-ce à vous d'en décider ?

— Une décision mineure, comparée à ce que jadis, je...

— Ah, maître Entreri, coupa Gordeon avec une emphase toute dramatique, c'est bien là que le bât blesse ! Ce qui avait cours *jadis* ne l'a plus maintenant. Il s'agissait pour vous de gagner notre approbation, rien de plus.

— Gagner votre approbation ? ricana Entreri. La vôtre ?

— Soldats, emparez-vous de lui ! (Les hommes avancèrent prudemment.) Sachez que le misérable que vous vouliez sauver a été exécuté, avec sa femme et ses enfants !

Entreri entendit à peine. Gordeon croyait peut-être lui faire du chagrin. Quel imbécile congénital !

Devait-il se laisser châtier comme un vulgaire manant ?

Jamais de la vie ! Il n'accepterait un tel traitement de personne au monde !

Le tueur tendit subrepticement les muscles de ses jambes. Les bras ballants, il adopta une posture trompeuse.

Epée au poing, les soldats l'encadrèrent ; l'arbalétrier le tenait toujours en joue.

L'assassin se détendit comme un ressort. Ses pieds percutèrent les soldats au visage. Dans la confusion, l'arbalétrier toucha l'un des deux hommes.

— Première erreur, Gordeon ! lança Entreri en voyant le bouffon dégainer un sabre splendide.

L'arbalétrier encocha un autre carreau tandis que le second soldat se remettait debout.

— Ecarte-toi, ordonna Gordeon à son homme de main. Il est à moi !

— Pour asseoir ta réputation, sans doute ? ironisa Artémis. Alors que je n'ai pas d'arme ? De quoi cela aura-t-il l'air ?

— Une fois mort, on placera une dague entre tes doigts, ricana Gordeon. Mes hommes témoigneront que c'était un duel à la loyale.

— Deuxième erreur..., souffla Entreri.

Car ce serait en effet un duel à la loyale. Le pauvre Gordeon ne croyait pas si bien dire !

Le second couteau plongea. Entreri esquiva sans peine. Les duellistes s'observèrent.

Artémis feinta, modifiant de façon subtile l'angle de frappe.

Gordeon se fendit ; Artémis s'écarta d'un autre bond.

Quand son adversaire multiplia les attaques, le tueur le força habilement à tenter une manœuvre audacieuse.

Loin de profiter de l'avantage ainsi acquis, Entreri recula encore.

A la surprise générale, il tapa le sol du pied.

Intrigué, Gordeon jeta des regards autour de lui, sans voir le collier rougeoyant, qu'Entreri avait passé à la pointe d'une de ses bottes.

Gordeon revint à la charge, déterminé à en finir. Le tueur lui jeta le collier à la face.

Le crétin eut le réflexe d'attraper au vol le projectile improvisé de sa main libre, comme l'avait escompté Entreri.

La seconde suivante, Gordeon poussa des cris d'orfraie, le métal brûlant grésillant dans la chair tendre de sa paume.

Entreri lui martela les tempes de ses poings.

Dans le même élan, il le souleva à bras-le-corps à l'instant où l'arbalétrier tirait.

L'autre soldat voulut intervenir. Entreri se joua de ses assauts avant de lui tordre le bras, de s'emparer de son épée et de la retourner contre lui.

L'arbalétrier, têtu, encocha encore un carreau.

Un sorcier accourut, sa tunique volant autour de lui...

Au moment où il pointait son bâton sur Entreri, le soldat mourant vint s'écrouler sur lui. Tous deux roulèrent par terre dans un enchevêtrement cocasse de bras et de jambes.

— Ai-je gagné ton approbation, Gordeon ? railla le tueur en s'élançant. Ou t'en faut-il encore ?

Le sorcier se dégagea du moribond et se releva.

A l'instant où Entreri plongeait par la fenêtre de sa chambre – où se bousculait vraiment trop de monde à son goût... –, un carreau le percuta.

Le tueur fit une chute de dix pieds avant de se recevoir sur la chaussée, amortissant l'impact par deux roulés-boulés.

Aussi vif qu'un chat de gouttière, il se releva et prit ses jambes à son cou.

Des soldats de Basadoni surgirent dans la rue où il fuyait.

Entreri bifurqua dans une venelle, puis grimpa sur les toits avant de redescendre là où on ne l'attendrait pas.

Il se plaqua à mi-hauteur contre un mur, bras et jambes en croix.

Les clameurs et les ordres lancés aux soldats moururent à mesure que les patrouilles s'éloignaient.

Le danger passé, Entreri se laissa glisser à terre. Portant une main à son flanc, il sentit du sang poisseux et la pointe du carreau fiché dans sa chair.

Il revint près de l'auberge avant l'aube, et entendit flotter jusqu'à lui la voix des soldats et de Gordeon, restés dans sa chambre.

Serrant les dents, Entreri entreprit d'escalader la façade avec l'espoir d'accéder à sa cachette.

Accroché à la gouttière, il réussit à récupérer sa dague et son argent, restés dans une fissure, sous la fenêtre.

— Il n'a pas pu s'évanouir dans la nature comme ça ! vociféra Gordeon. Sorcier, lancez un autre sort de détection !

— Inutile, lieutenant. S'il possédait des objets magiques, il les a vendus ou cédés avant de venir ici...

Malgré ses souffrances, Entreri sourit en entendant Gordeon jurer comme un charretier. En fouillant la chambre, ces imbéciles avaient négligé d'inspecter la façade du bâtiment !

Dague au poing, le tueur redescendit dans la rue et s'enfonça dans les ruelles sombres.

Les seuls hommes qu'il croisa étaient deux ivrognes cuvant leur vin dans le caniveau. L'un avait tourné de l'œil, l'autre parlait tout seul.

Silencieux comme la mort, Entreri frappa. Sa dague magique but les forces vitales des loqueteux et les lui transmit...

Cela fait, il put arracher le carreau de son flanc et guérir aussitôt.

Quel dommage que Kadran Gordeon ne soit plus en face de lui !

Mais le combat ne faisait que commencer...

Et aussi fort que fût Entreri, il n'était jamais qu'un homme seul face à une guilde puissante...

Malgré tous ses talents, il ne faisait pas le poids.

Ils avaient vu les soldats investir les lieux et tendre leur embuscade.

Ils avaient vu leur proie sauter par la fenêtre et se fondre dans l'ombre.

De leurs yeux à l'acuité redoutable, *ils* l'avaient repéré, plaqué contre un mur. En silence, *ils* avaient applaudi son ingéniosité.

Leur chef avait vraiment bien choisi !

Artémis Entreri ne se doutait de rien.

CHAPITRE X

UNE VENGEANCE
AUSSI INATTENDUE QUE FRUSTRANTE

Wulfgar longeait d'un pas vif les contreforts de l'Epine Dorsale du Monde. Il souhaitait ardemment qu'un monstre surgisse, histoire de pouvoir défouler sa hargne.

Il inspecta les terres qui s'étendaient devant lui. Des bosquets disséminés, des étendues arides, des routes...

Le barbare eut un pincement au cœur. Il se languissait des grands espaces à ciel ouvert... Son existence limitée, au Val Bise, finissait par lui peser. Et s'il repartait au hasard, à la rencontre d'aventures susceptibles d'effacer son passé ? Ne s'affranchirait-il pas du même coup de l'ombre des Abysses ?

Tournant le dos aux pics, Wulfgar s'orienta vers le sud et les plaines.

Quand le soleil sombra à l'horizon, il était sorti de l'Epine Dorsale du Monde. De grandes flammes orange et rouge incendiaient le ciel occidental.

Wulfgar contempla le coucher de soleil, puis l'apparition des étoiles au firmament.

C'était le temps du renouveau... Il devait prendre un second départ dans la vie et faire table rase du passé.

Seul comptait le présent, avec le futur en gésine.

Wulfgar campa sous un conifère.

Malgré toutes ses résolutions, les cauchemars hantèrent son sommeil.

Le jour suivant, il repartit pourtant d'un bon pied, résolu à avaler les lieues. Il suivait le vent, le vol d'un oiseau ou la berge d'un ruisseau printanier.

Il y avait du gibier et des baies à foison.

Chaque jour, Wulfgar se sentait de moins en moins enchaîné par son passé.

Chaque nuit, ses cauchemars avaient de moins en moins de force.

Un matin, le barbare découvrit un curieux totem fiché dans la terre. L'extrémité, sculptée en forme de pégase, lui rappela un incident lointain, quand il était à la recherche du foyer ancestral du roi des nains : Mithril Hall.

Wulfgar aurait voulu se détourner et fuir. Mais il avait juré de se venger...

Il gravit une colline et découvrit un campement : au milieu de tentes en peaux de daim, des gens vaquaient à leurs occupations.

Les Poneys Célestes...

Wulfgar se souvenait de cette tribu... Elle avait combattu les orcs aux côtés de ses compagnons. Mais elle s'était ensuite retournée contre les héros, les faisant prisonniers ! Wulfgar, Bruenor et Régis n'avaient pas été mal traités. Wulfgar avait eu l'occasion de faire ses preuves ; au cours d'un duel, il avait aisément triomphé du fils du chef.

En accord avec les traditions des barbares des plaines, Wulfgar avait alors été accueilli au sein de la tribu.

Pour prouver sa loyauté, il avait reçu l'ordre d'exécuter Régis...

Grâce à Drizzt, les prisonniers avaient pu s'échapper.

Le chamane de la tribu, Valric Grand Œil, avait recouru à la magie pour métamorphoser Torlin, le fils du chef, en spectre.

Les compagnons avaient vaincu le fantôme lancé à leurs trousses.

Devant le corps brisé de Torlin, Wulfgar avait juré de punir Valric Grand Œil.

A force de scruter le camp, il repéra une silhouette dégingandée à la gestuelle saccadée.

Ça pouvait être Valric...

Wulfgar fut tiraillé par des sentiments opposés : la soif de vengeance contre le désir fou de fuir le passé.

Mais il revoyait le cadavre mutilé de Torlin, mi-homme, mi-cheval ailé... Et il n'eut pas la force de se détourner.

D'évidence, les Poneys Célestes vivaient des temps difficiles. Beaucoup de blessés étaient assis çà et là. La tribu avait perdu des membres. Il restait surtout des femmes, des enfants et des vieillards. Au sud, une vingtaine de pieux supportaient des têtes d'orcs tranchées picorées par les corbeaux.

Voir une tribu affaiblie à ce point peina Wulfgar. S'il avait juré de châtier son chamane, il n'avait aucun grief contre les Poneys, des guerriers honorables, dont les coutumes et les pratiques étaient les siennes.

Emacié, voûté par le poids des ans, Valric reparut, plein d'un allant plutôt étonnant. Sur son passage, les barbares baissaient les yeux.

Wulfgar descendit vers le campement, Aegis-fang au poing. Qu'il franchisse le périmètre sans être arrêté prouvait à quel point la tribu était désorganisée.

Les guerriers firent cercle autour du chamane, déterminés à affronter le colosse qui faisait irruption sur leur territoire.

Wulfgar les dévisagea. Ils étaient tous trop jeunes ou trop vieux.

D'évidence, les Poneys Célestes venaient de livrer une terrible bataille.

— Qui es-tu ? demanda un vieil homme.

Wulfgar le scruta. Il avait des yeux perçants, des cheveux grisonnants et une mâchoire carrée bien dessinée.

Il rappelait trop un guerrier que Wulfgar avait bien connu pour ne pas être le...

— ... Père de Torlin, salua-t-il avec respect.

Les yeux écarquillés, le vieil homme ne sut que répondre.

— Jerek Pourfendeur-de-loups ! lança Valric d'une voix stridente. Le chef des Poneys Célestes ! Qui es-tu pour parler du fils perdu de Jerek ?

— Perdu ? répéta Wulfgar, sceptique.

— Enlevé par les dieux... Pour une quête...

Wulfgar sourit amèrement du mensonge, vieux d'une décennie... L'infortuné Torlin, lancé aux trousses des aventuriers, avait connu une mort horrible. Plutôt que d'avouer la vérité au père du jeune homme, le chamane avait arrangé les faits à sa façon.

Une quête inspirée par les dieux pouvait durer des années, voire des décennies.

Voilà pourquoi Torin était « perdu », non mort et enterré.

— La quête n'a pas duré longtemps..., fit Wulfgar. Car nos dieux ont compris que c'était une erreur.

Valric écarquilla les yeux.

— Qui êtes-vous ? répéta-t-il d'une voix mal assurée.

— Les Poneys Célestes auraient-ils si vite oublié Wulfgar, fils de Beornegar ?

Valric plissa le front. Le nom lui disait quelque chose...

— Les Poneys Célestes ne se rappellent-ils plus le Nordique accompagné d'un nain, d'un petit homme et... d'un elfe noir ?

Les yeux exorbités, le chamane pointa un index tremblant sur le *revenant.*

Des murmures s'élevèrent. Les barbares serrèrent leurs armes, prêts à massacrer l'intrus.

Celui-ci ne se laissa pas démonter.

— Je suis Wulfgar, fils de Beornegar, répéta-t-il, le regard rivé sur Jerek Pourfendeur-de-loups. Je ne suis pas votre ennemi. Votre tribu et la mienne sont liées, et nous avons de lointains ancêtres en commun... Comme je l'avais juré devant le cadavre de Torlin, me voilà de retour parmi vous.

— Le cadavre de Torlin ? cria quelqu'un.

— Mes compagnons et moi n'étions pas venus en ennemis ! lança Wulfgar avant que le tumulte couvre sa voix. Nous avons même combattu à vos côtés et remporté la victoire !

— Vous avez repoussé notre hospitalité ! couina Valric. Vous avez insulté notre peuple !

— Que sais-tu sur mon fils ? s'enquit Jerek, écartant le chamane.

— Je sais que Valric l'a envoyé à nos trousses comme un messager du Poney Céleste.

— Tu es prêt à l'admettre, et pourtant tu viens te présenter devant nous ? lâcha Jerek.

— Votre dieu n'était pas avec Torlin, car nous avons vaincu la créature qu'il était devenu.

— Tuez-le ! cria Valric. Comme nous avons abattu les orcs, nous détruirons l'ennemi qui ose se présenter devant nous !

— Arrêtez ! ordonna Jerek.

Malgré leur soif d'en découdre, ses congénères s'immobilisèrent.

Jerek se campa devant lui. Wulfgar soutint son regard. Du coin de l'œil, il vit Valric fouiller dans sa sacoche de composants.

— Mon fils est mort ? demanda Jerek.

— Votre dieu n'était pas avec lui, répéta Wulfgar. Car sa cause – celle de Valric –, n'était pas juste.

Jerek ne retint qu'une chose : le décès de son fils.

Avec un grondement, il se rua sur Wulfgar, qui bloqua le premier coup, lâcha Aegis-fang et projeta son assaillant vers les guerriers.

Reprenant son arme, il voulut bondir sur Valric ; peine perdue : les survivants lui firent un rempart de leurs corps.

A la surprise générale, le chamane beugla un chant sauvage et lança des herbes magiques à la face de Wulfgar.

Le jeune guerrier fut gagné par la paralysie. Il eut l'impression que des murs se refermaient sur lui et que le sol s'ouvrait sous ses pieds.

Dans les Abysses, les démons et les succubes l'avaient souvent réduit à l'impuissance pour lui faire subir toutes sortes d'indignités.

Au fil du temps, le jeune homme avait appris à résister à ce genre d'intrusion mentale.

Il se concentra sur la colère qui montait en lui afin de mieux repousser les suggestions du chamane. Il feignit de paraître vaincu, ses doigts gourds lâchant Aegis-fang. Les Poneys Célestes se lancèrent dans une danse guerrière.

Pour eux, Valric était une manifestation physique de leur dieu.

— De quoi parlait-il ? demanda Jerek au chamane. Quelle quête Torlin devait-il mener ?

— Je l'ai dit... Un Drow ! Cet homme, qui paraît si honorable, avait pour compagnon un elfe noir ! Qui d'autre que Torlin pouvait vaincre un tel ennemi ?

— Mais tu as affirmé que mon fils était en quête pour les dieux...

— C'est ce que j'ai cru, mentit Valric. N'écoutez pas ce guerrier ! Avez-vous vu comment la puissance d'Uthgar l'a facilement vaincu ? S'il est revenu, c'est parce que Torlin a tué ses trois compagnons !

— Mais Wulfgar a vaincu Torlin à la loyale, rappela un guerrier.

— C'était avant qu'il courrouce notre dieu ! vociféra le chamane. Regardez-le !

Soudain, Wulfgar s'élança sur le chamane, l'empoigna à bras-le-corps et le secoua comme un prunier.

— Quel dieu, Valric ? rugit-il. Pourquoi aurais-tu plus d'influence avec Uthgar que moi avec Tempus ?

Il souleva le chamane d'une seule main.

— Si Torlin avait tué mes amis au combat, je ne serais pas revenu pour me venger, Jerek ! Tous trois se portent bien. Je viens pour Torlin, un homme d'honneur que tu as poussé à sa perte !

— Valric est notre chamane ! protesta un guerrier.

Wulfgar lâcha sa proie avec un grognement féroce, l'obligea à s'agenouiller et lui bloqua la tête de son avant-bras.

Valric cria :

— Tuez-le !

Le fils de Beornegar resserra sa prise. Les guerriers avancèrent.

S'il achevait Valric, Wulfgar serait massacré par les survivants de la tribu.

Il hésita, mais ce ne fut pas par peur de mourir. L'expression de Jerek l'arrêta. Il avait rarement vu un homme à ce point abattu. Ce chef orgueilleux ne se relèverait jamais du coup. Surtout si Wulfgar tuait encore plusieurs de ses guerriers avant de rendre les armes...

La tribu non plus ne s'en relèverait pas.

Wulfgar baissa les yeux sur Valric. La tentation de l'achever était forte...

Ce serait si facile... et frustrant.

Avec un rugissement, Wulfgar empoigna le chamane par le col et le projeta au loin. Dans sa chute, Valric déracina des piquets de tente. Les toiles s'effondrèrent sur lui.

Des guerriers firent mine d'attaquer. Wulfgar brandit Aegis-fang.

Deux moulinets suffirent à tenir les barbares en respect.

— Attendez ! s'écria Jerek. Toi aussi, chamane !

Il revint se camper devant Wulfgar.

— Je n'aurai aucun plaisir à tuer le père de Torlin, dit Wulfgar.

Ses paroles firent mouche.

Sans un mot de plus, il tourna les talons et s'éloigna.

Personne ne chercha à l'arrêter.

— Tuez-le ! s'époumona Valric.

Aegis-fang vola dans les airs et frappa le chamane à la poitrine.

Il s'effondra au milieu des tentes et des peaux de bêtes.

Valric avait vécu.

Les guerriers reculèrent.

— Tempus est avec lui ! cria l'un d'eux.

Wulfgar aurait voulu dire que rien n'était plus faux...

Jerek ne donna pas l'ordre à ses hommes d'abattre l'étranger.

Wulfgar lui avait révélé la vérité et vengé le mort...

Il quitta le camp sans éprouver de soulagement.

La colère lui fit accélérer le pas.

Il était furieux contre le maudit Valric, les damnés Poneys Célestes et le monde entier...

Ramassant un caillou, il le lança vers le ciel en clamant des imprécations.

Puis il continua son chemin au hasard.

Dans une clairière, il découvrit un endroit idéal pour camper.

La beauté du crépuscule ne le toucha pas.

Une vérité s'imposait : où qu'il allât, son passé le suivrait. Il ne connaîtrait plus de repos nulle part.

Avoir châtié Valric ne lui procurait aucune joie.

Rien. Il ne ressentait rien.

Abandonnant son camp, il reprit sa route.

Il marcha vers le soleil qui sombrait à l'horizon.

Trois jours plus tard, il arriva devant les portes est de Luskan.

CHAPITRE XI

LE SORCIER DE GUERRE

— Ne viens pas ici ! s'écria LaValle. Je t'en prie...,
Impavide, Entreri continua de le dévisager.

— Tu as blessé Kadran Gordeon... Dans sa fierté plus que dans sa chair. Alors prends garde !

— Gordeon est un fieffé imbécile, lâcha le tueur.

— Un imbécile qui dispose d'une armée... Aucune guilde n'est mieux implantée dans nos rues que celle de Basadoni. Aucune n'a plus de ressources. Mais toutes ont désormais un objectif : Artémis Entreri.

— Ainsi que LaValle, peut-être ? Pour avoir osé parler à l'homme traqué ?

Le sorcier ne répondit pas. La seule présence d'Entreri chez lui, si elle était découverte, lui vaudrait la mort.

— Réponds à leurs questions, ordonna le tueur. Sans détour. N'essaie pas de les dupcr. Dis que je suis venu te voir sans que tu m'y invites, et que je me porte comme un charme.

— Tu tiens à les narguer ?

Entreri haussa les épaules.

— Quelle importance ?

Avec une courbette moqueuse, il gagna la fenêtre, désamorça un piège classique et l'enjamba d'une façon bien précise afin de ne pas déclencher les autres.

Il sauta dans la rue, aussi leste qu'un chat.

Cette nuit-là, il osa se montrer devant le *Cuivre Ante*.

Tandis qu'il longeait la façade, Dwahvel Tiggerwillies surgit de nouveau.

— Un sorcier de guerre, le prévint-elle de but en blanc. Merle Pariso. Il a une réputation sans pareille à Calimport. Crains-le, Entreri. Fuis le Calimshan si tu le peux.

La petite femme disparut.

Entreri mesura la gravité de la situation.

N'ayant rien à gagner et tout à perdre, la petite femme l'avait prévenu. S'il quittait le royaume, comment pourrait-il lui témoigner sa gratitude ?

En tout cas, le sorcier de guerre ne faisait pas mystère de sa mission.

Etait-il trop sûr de lui ?

Une maigre consolation, songea Entreri.

Dans sa vie, il avait affronté et tué plus d'un mage...

Mais là, c'était différent.

Sur un champ de bataille, un sorcier n'avait rien d'un ennemi difficile à abattre tant que le guerrier gardait l'avantage d'une – relative – surprise. Par définition, un mage était tributaire du temps. Il ne pouvait pas lancer d'offensive sans préparatifs.

Les sorciers étaient également distraits par nature et aisément pris au dépourvu.

Accaparés par leurs recherches, il leur fallait souvent la journée pour préparer un sort.

Mais si un sorcier était le chasseur et non la proie, il se bardait de protections. Vouloir tromper sa garde devenait une gageure.

Entreri envisagea sérieusement d'écouter Dwahvel.

Pour la première fois depuis son retour, il mesura les dangers qui guettaient un homme sans soutien ni appuis.

A Menzoberranzan, les solitaires survivaient rarement.

Calimport n'était pas si différente, au fond.

Entreri s'apprêta à regagner son antre – un taudis vide dans un cul-de-sac. Il se ravisa. Tout était question de relations...

Où aller ? Il n'était pas question de courir les rues, où un sorcier aurait beau jeu de le repérer.

Entreri examina les alentours d'un œil exercé, conscient qu'il pouvait déjà faire l'objet d'une surveillance magique.

Sans grande surprise, il pénétra dans un entrepôt apparemment désert pour voir un sorcier surgir dans une colonne de fumée orange.

La porte claqua.

Entreri vérifia d'un rapide coup d'œil qu'il n'y avait pas d'autres issues et se maudit.

Quelle déveine !

L'absence d'alliés et son manque de connaissances de la nouvelle topographie de la cité ne jouaient pas en sa faveur.

Où qu'Entreri aille, on l'attendait au tournant... Ses ennemis avaient une longueur d'avance sur lui et ils comptaient bien tirer parti de cet avantage.

Ils préparaient le champ de bataille.

Entreri se morigéna. Quelle mouche l'avait piqué de foncer tête baissée dans une ville inhospitalière sous prétexte que c'était le berceau de son enfance !

Dague au poing, il se prépara à vendre chèrement sa peau.

— Regarde bien le Merle ! cria le sorcier d'une voix moqueuse.

De ses manches volumineuses jaillirent des rayons multicolores. Entreri les évita au prix de plusieurs roulés-boulés.

— Bien joué ! le congratula Merle Pariso. Mais vraiment, pitoyable tueur, tiens-tu à prolonger les choses ? Pourquoi ne pas affronter ta mort avec dignité ?

Il lança une deuxième offensive à l'instant où Entreri passait à son tour à l'attaque.

Pariso continua d'incanter quand l'assassin lui lança sa dague entre les yeux.

L'arme se heurta à un mur invisible.

Entreri ne s'était pas attendu à autre chose. Mais la concentration du sorcier le laissa admiratif. Peu d'hommes n'auraient pas esquissé un mouvement de recul en voyant la mort fondre sur eux...

Pariso n'avait pas cillé.

Entreri s'écarta, anticipant une nouvelle attaque.

Avec une assurance infernale, le sorcier gloussa.

— Où comptes-tu fuir ? Combien de temps trouveras-tu l'énergie d'éviter mes coups ?

A la place du tueur, beaucoup d'hommes découragés auraient attendu la mort.

Pas Entreri !

Ses doutes évanouis, son apathie s'envola. Il vivait dans l'instant, au rythme du danger...

Une chose à la fois.

La première : percer le bouclier du sorcier. Ce type de sort détournait les lames, mais pas indéfiniment.

L'assassin s'empara d'un siège et le lança sur son adversaire. La riposte de Pariso le toucha à l'épaule.

Le tueur chargea.

— Combien de coups peux-tu encore dévier ? rugit-il.

Des langues de feu lui répondirent. Ce nouveau sortilège renvoyait les attaques à leur source... De sorte qu'Entreri reçut par magie les blessures destinées à son adversaire.

Il bondit en arrière...

— Tu te bats bien, avoua le sorcier. Je n'en attendais pas moins du fameux Artémis Entreri. Mais finissons-en !

Bâton pointé, il lança une boule de feu.

Le tueur plongea à plat ventre et se couvrit de sa cape.

Il eut les cheveux calcinés et les poumons en feu.

L'entrepôt était la proie des flammes. Au milieu de l'incendie, le sorcier riait à gorge déployée.

Entreri devait sortir à tout prix. Il ne pouvait pas battre Pariso à son propre jeu et il ne survivrait pas longtemps sans les protections dont le sorcier s'entourait.

A l'instant où Entreri s'apprêtait à plonger vers la porte en flammes qui le séparait du salut, une épée de lumière se matérialisa. La volonté de Pariso manipulait le *dweomer* magique.

Elle força Entreri à reculer.

Une autre épée de lumière surgit du néant.

Le tueur en fut ébahi. Comment un sorcier, aussi puissant fût-il, pouvait-il gérer simultanément deux créations magiques de ce type ?

Artémis plongea et enchaîna les roulades, poursuivi par les épées.

A travers la fumée qui s'épaississait, il vit Merle Pariso, toujours enveloppé de flammes protectrices. Le bougre se tapotait la joue, triomphant.

La chaleur devenait suffocante. Les flammes couraient le long des parois et du plafond, avides de tout dévorer.

Le bois se fendait et éclatait, les poutres s'effondraient par dizaines.

— Je ne partirai pas avant de t'avoir vu rôtir, Artémis Entreri ! promit Pariso.

Les épées revinrent à la charge, parfaitement coordonnées. Evitant d'un cheveu la morsure des lames, Entreri courut vers la sortie. Se protégeant de ses avant-bras, il plongea...

... et se heurta à un mur.

Un autre écran magique !

Merle Pariso pointa son bâton sur lui.

Une main verte désincarnée se matérialisa. Elle tenait une sorte de gros œuf.

Le sorcier écarquilla les yeux, horrifié.

— Qui... ? Que... ?

La main jeta l'œuf, qui explosa.

Au-dessus du tumulte, une musique se fit entendre, allant crescendo. Puis elle s'acheva sur un bourdonnement monocorde.

Les épées disparurent.

Ainsi que le barrage de flammes.

Et le bouclier de Merle Pariso.

Sentant la morsure du feu autant que sa victime, le sorcier incanta à la hâte.

Voir Pariso terrifié remplit Entreri d'allégresse.

Les flammèches qui entouraient le sorcier se métamorphosèrent...

... En humanoïdes miniatures, qui se lancèrent dans une danse étrange.

Pariso trébucha sur une latte mal ajustée et bascula sur le dos.

A l'instar d'une meute de loups affamés, les créatures fondirent sur l'humain, le transformant en une torche vivante.

Le sorcier ouvrit la bouche pour hurler...

... Un humanoïde s'y engouffra, lui carbonisant instantanément la langue, la gorge et le larynx...

La main gantée de vert fit signe à Entreri.

Derrière lui, le mur s'effondra.

Le tueur avança.

Et constata qu'il ne s'agissait pas d'une main désincarnée, mais d'un bras tendu à travers une sorte de portail dimensionnel.

Le plafond de l'entrepôt céda avec un craquement sinistre.

Entreri préféra l'inconnu à une mort certaine.

Il bondit vers la main tendue.

CHAPITRE XII

DÉCOUVRIR UNE NICHE

Des années plus tôt, à la recherche de Mithril Hall, Wulfgar avait traversé Luskan en compagnie de ses amis.

Il déambula le long du marché, sensible aux senteurs épicées qui montaient d'une cité nordique s'ébrouant après sa longue hibernation annuelle.

Bien des regards se posèrent sur le barbare... Avec ses sept pieds et sa carrure impressionnante, Wulfgar passait difficilement inaperçu.

Surtout avec son marteau de guerre en bandoulière.

Wulfgar marchait le corps dans le présent et la tête dans le passé.

La nuit arrivait à grands pas.

Les déambulations du barbare le menèrent dans la rue Demi-Lune. La taverne de ses souvenirs n'avait pas changé.

Wulfgar en approcha.

Les lieux étaient plutôt malfamés. C'était le rendez-vous des parias, des laissés-pour-compte et des traîtres.

Considérant sa maigre bourse, Wulfgar décida que l'endroit lui convenait parfaitement.

Dans l'auberge, il ne croisa aucun regard familier. Il s'installa au comptoir et se laissa gagner par l'apathie ambiante...

Le tavernier vint prendre sa commande.

— Arumn Gardpeck, se présenta-t-il. Je vous sers quelque chose ?

Wulfgar secoua la tête et baissa les yeux. Il ne désirait rien, surtout pas jacasser.

Gardpeck se pencha vers lui.

— Je ne veux pas de grabuge dans mon établissement.

Wulfgar fit un geste de la main. Puis, bercé par le ronronnement des conversations, il s'assoupit.

— Eh ! (Quelqu'un le secoua, l'obligeant à relever des yeux hagards. L'aubergiste lui souriait.) On ferme !

Wulfgar le regarda d'un air hébété.

— Où êtes-vous descendu ? Des clients pourraient vous raccompagner, s'ils vont dans le coin...

Le barbare resta sans réaction.

— Dire qu'il n'a rien bu, celui-là ! ricana quelqu'un.

Wulfgar se tourna et découvrit des gaillards armés campés autour de lui. C'étaient sans doute les gardes attitrés de l'aubergiste.

— Où logez-vous ? répéta Gardpeck. Et toi, Josi Puddles, boucle-la un peu !

— Nulle part, répondit Wulfgar, haussant les épaules.

— Eh bien, tu ne dois pas rester là ! fit un autre costaud.

Le barbare tressaillit.

— La ferme ! lança l'aubergiste. Bon... Je pourrais te louer une chambre, l'ami.

— Je ne suis pas riche, avoua Wulfgar.

— Alors vends-moi ton marteau ! dit un autre garde, goguenard.

Le barbare se tourna... et vit son arme entre les mains de l'homme.

Il se leva et avança, menaçant.

— J'aimerais te la rendre, mon vieux, ricana l'homme...

... Avant de brandir le marteau de guerre d'un geste éloquent.

— Vous voulez l'acheter ? demanda le barbare. Alors, vous devez connaître son nom...

Il le prononça. L'arme disparut des mains du garde pour réapparaître entre les siennes. D'un crochet au menton, Wulfgar envoya rouler sur les tables l'homme qui l'avait nargué.

Les autres firent mine de se jeter sur l'étranger. D'un moulinet de son arme, Wulfgar leur fit comprendre que ce ne serait pas dans leur intérêt.

— Arrêtez ! cria Gardpeck. (Il se campa devant le barbare.) Ta force pourrait m'être bien utile... C'est Reef que tu viens d'envoyer au tapis... Un de mes meilleurs videurs !

Wulfgar lorgna l'individu, que ses camarades aidaient à se relever.

Arumn Gardpeck guida le barbare vers un siège, et lui servit à boire.

— Je t'offre le gîte et le couvert, dit-il. Tu seras servi à volonté, pourvu que tu m'aides à maintenir l'ordre dans mon auberge. Si des bagarres éclatent, débarrasse-moi rapidement des fauteurs de troubles. Qu'en dis-tu ?

Wulfgar but une gorgée de liqueur.

— Et eux ?

— Ils me prêtent main-forte à la demande, comme à nombre de mes confrères du quartier. Je songeais à employer un videur à plein temps et il me semble que tu ferais parfaitement l'affaire. Alors ? Marché conclu ?

— Vous ne savez rien de moi. Ou de mon histoire.

— Et je m'en moque ! Les Nordiques sont plutôt rares par ici. T'avoir vu à l'œuvre me suffit.

— Le gîte et le couvert ? répéta Wulfgar.

— Boisson comprise.

Histoire de sceller leur accord, le fils de Beornegar s'empressa de vider le flacon.

L'aubergiste en apporta un autre.

Une heure plus tard, Arumn qui avait levé le coude avec lui l'aida à gagner sa chambre, à l'étage. Les deux hommes trébuchèrent sur la couche et roulèrent par terre.

Ils éclatèrent de rire.

C'était la première fois depuis longtemps que Wulfgar riait de bon cœur.

— Les premiers trublions arrivent l'après-midi, dit Arumn. Mais je n'aurai pas vraiment besoin de toi avant le soir. Je viendrai te réveiller !

Ils gloussèrent. Puis l'aubergiste sortit.

Wulfgar resta seul dans le noir.

Il réalisa qu'il nageait dans le brouillard, perdu dans les vapeurs de l'ébriété. Errtu ne pouvait plus le tourmenter.

Sous l'emprise de l'alcool, le malheureux connaissait enfin la paix.

Le gîte, le couvert et la boisson, avait promis Arumn.

La boisson... Voilà ce qui compterait désormais pour Wulfgar, fils de Beornegar.

En sécurité dans une ruelle, Entreri regardait les flammes.

Il n'était pas seul.

Trois elfes à la peau noire le flanquaient, plus minces et plus finement musclés que lui.

L'un d'eux portait un grand chapeau pourpre couronné d'une énorme plume.

— C'est la deuxième fois que je te sauve la vie, dit-il à Entreri.

Le tueur aurait adoré plonger sa dague dans le cœur de l'insolent.

C'eût été mal connaître Jarlaxle que d'essayer.

— Nous avons beaucoup à vous raconter...

Jarlaxle ouvrit d'un geste une nouvelle porte dimensionnelle, ouvrant sur une pièce remplie d'autres elfes noirs.

— Kimmuriel Obladra ! s'exclama Jarlaxle.

Le nom était familier à Entreri. Obladra était jadis la troisième Maison de Menzoberranzan, et l'une des plus redoutables en raison de ses dons pour la magie mentale. Pendant le Temps des Troubles, qui les avait épargnés, les Obladra allèrent jusqu'à menacer la Matrone Baenre.

Quand la magie conventionnelle eut de nouveau droit de cité, la Maison Obladra fut exterminée par les Baenre.

C'est du moins ce qu'on a cru, songea Entreri.

Son vertige passé, il prit un siège.

— Te voilà en sécurité, Artémis, dit Jarlaxle.

— Mes ennemis m'épiaient. C'est ainsi que Pariso m'a piégé.

— Nous t'observions aussi depuis des semaines, figure-toi.

— Vous êtes vraiment venus à ma rescousse ? Pourquoi vous donner tant de mal pour récupérer un *rivvil* ?

Le terme drow, péjoratif, amusa Jarlaxle. Le mot désignait les races jugées inférieures, autrement dit tous les non-drows.

— Te récupérer ? répéta soudain le mercenaire elfe. Souhaites-tu revenir à Menzoberranzan ?

— Je te tuerai, ou je te forcerai à me tuer, avant de remettre un pied dans cette ville, répondit Entreri.

— Naturellement, fit Jarlaxle. Ce n'est pas ton univers, pas plus que Calimport est le nôtre.

— Alors pourquoi êtes-vous là ?

— Parce que Calimport est *ton* monde, et Menzoberranzan le mien, sourit le mercenaire, comme si ça expliquait tout.

Entreri réfléchit.

Jarlaxle... Un opportuniste, s'il en était.

Avec Bregan D'aerthe, sa redoutable bande de mercenaires, le Drow retombait toujours sur ses pattes, quelle que fût la situation.

Menzoberranzan, une ville dirigée par les prêtresses de Lolth...

Pourtant, Bregan D'aerthe, composé presque exclusivement de mâles, était loin d'être en bas de l'échelle sociale.

Alors pourquoi venir dans un monde qui n'était pas le sien ? Dans quel but ?

— Tu veux que je vous serve d'homme de paille..., conclut Entreri.

— Homme de paille ? répéta Jarlaxle. Je ne connais pas cette expression.

Conscient que le Drow mentait, Entreri sourit.

— Tu veux étendre l'influence de Bregan D'aerthe au monde de la surface, en commençant par Calimport.

Mais même dans les bas-fonds de la ville, des elfes noirs ne passeraient pas inaperçus ! Et les plus vils rebuts d'humanité ne vous accepteront pas.

— Nous pourrions user de magie pour maquiller notre apparence.

— Pourquoi se donner cette peine quand on a Artémis Entreri à sa disposition ?

— Et est-ce le cas ? souffla Jarlaxle.

Entreri réfléchit. Puis il haussa les épaules.

— Je t'offre une protection absolue contre tes ennemis, continua le Drow. Mieux : le moyen de les vaincre. Avec tes talents et la puissance de Bregan D'aerthe, tu régneras bientôt sur Calimport.

— Oui... La marionnette de Jarlaxle...

— Le *partenaire* de Jarlaxle. Je n'ai que faire de pantins. Un associé tirant un réel bénéfice de notre accord travaillera d'autant plus à nos objectifs communs. De plus, Artémis, ne sommes-nous pas amis ?

Entreri éclata de rire. Associer Jarlaxle à la notion d'amitié lui paraissait saugrenu.

— La guilde de Basadoni aura bientôt un nouveau pasha, insista le Drow. Artémis Entreri ! Même les chefs politiques du Calimshan s'en référeront à toi.

L'humain resta de marbre.

— Avant que tu quittes cette pièce, je veux une réponse, Artémis.

Le tueur connaissait ce ton et ce qu'il impliquait.

Ou il marchait dans la combine ou il mourait.

Il se frappa la poitrine du poing.

— Partenaires, c'est d'accord ! Mais *je* dirigerai Bregan D'aerthe au sein de Calimport ! Vous frapperez où et quand je le déciderai.

Jarlaxle acquiesça puis claqua des doigts. Un autre Drow approcha de l'humain, prêt à l'escorter.

— Dors bien, Artémis, le salua Jarlaxle. Demain, ta nouvelle carrière commence.

Le tueur parti, un Drow sortit de derrière une tenture.

— Il ne mentait pas, assura-t-il à Jarlaxle.

Le chef des mercenaires sourit, heureux de pouvoir compter sur un allié aussi puissant que l'ancien grand prêtre Rai'gy Bondalek de Ched Nasad.

Evincé par ses rivaux, il avait été secouru par Bregan D'aerthe... Versé en magie cléricale, Bondalek l'était également – chose plus rare – en sorcellerie.

Une aubaine pour Jarlaxle qu'un tel Drow soit devenu un paria...

Rai'gy ne se doutait pas que Jarlaxle était à l'origine de ses malheurs...

— Entreri ne semblait guère intéressé par les carottes que vous lui avez agitées sous le nez, dit Bondalek. Il tiendra parole, mais ce ne sera pas de gaieté de cœur.

Jarlaxle hocha la tête. Durant les mois que l'humain avait passés à Menzoberranzan, au sein de Bregan D'aerthe, il avait appris à le connaître. Il comprenait ses motivations et ses désirs davantage qu'Artémis lui-même.

— Il y a un trésor que je ne lui ai pas offert. Celui qu'Entreri ignore vouloir posséder... (Jarlaxle sortit de sous sa cape un médaillon.) Je l'ai pris à Catti-Brie, la compagne de Drizzt Do'Urden... Ce bijou fut remis à son père adoptif, Bruenor Battlehammer, par la haute dame de Sylverymoon, Alustriel. Il permet de localiser Drizzt.

— Vous en savez long sur tout, releva Rai'gy.

— C'est ainsi que je survis.

— Mais Catti-Brie sait bien qu'elle n'a plus ce médaillon, objecta Kimmuriel Oblodra. Son compagnon et elle auront pris soin de le neutraliser.

Jarlaxle secoua la tête.

— Faux ! Le médaillon a été restitué à Catti-Brie avant qu'elle quitte Menzoberranzan. Ce bijou est une réplique investie des mêmes pouvoirs que l'original. A propos, Catti-Brie et Alustriel semblaient rivaliser de zèle pour gagner l'affection de Drizzt Do'Urden...

Les deux autres Drows grimacèrent de dégoût. Drizzt Do'Urden, que même ses ennemis trouvaient d'une grande beauté, s'enticher d'une non-drow... !

Non que Catti-Brie fût un laideron – Jarlaxle pouvait en témoigner –, mais tout de même...

— Si c'est une réplique, s'inquiéta Kimmuriel, ce bijou détient-il encore assez de magie ?

— Les *dweomers* créent des nodes de puissance, expliqua Rai'gy Bondalek. Des nodes que je sais reproduire.

— Rai'gy a passé des années à perfectionner la technique, ajouta Jarlaxle. Son aptitude à exploiter le potentiel des reliques antiques de Ched Nasad l'a aidé à accéder au titre de grand prêtre. Il augmentera considérablement la puissance de l'ancien *dweomer*.

— Afin que nous repérions Drizzt Do'Urden, conclut Kimmuriel.

Jarlaxle acquiesça.

— Quel superbe trophée pour Artémis Entreri...

TROISIÈME PARTIE

L'ESCALADE DE LA FACE ARRIÈRE

Les lieues défilaient, que je chevauche sur les routes ou que je vogue le long des côtes du sud...

Une distance qui se creusait chaque jour entre nous et l'ami que nous avions laissé.

L'ami ?

Nous avons réfléchi sur la notion d'amitié et sur les responsabilités qu'elle entraîne. Nous avions quitté Wulfgar près de l'Epine Dorsale du Monde – pas moins ! –, et nous ignorions tout de ce qui lui arrivait à présent.

Allait-il mieux ? Etait-il encore en vie ?

Peut-on abandonner quelqu'un à son sort et continuer à s'appeler son ami ?

Je médite souvent sur l'amitié. Ça paraît si simple... et c'est en réalité si compliqué !

Wulfgar doit suivre sa voie. Mais... aurais-je dû m'interposer quand même ? L'accompagner où qu'il aille ?

Notre séparation est-elle une erreur ?

Malgré l'incertitude, je crois que notre solution est la moins mauvaise : Wulfgar devait partir seul à la rencontre de son destin.

La ligne de démarcation est mince entre amitié et protection. Quand on commence à paterner ses amis, en prétendant mieux savoir qu'eux ce qu'il leur faut, il en résulte souvent des désastres. Un père ou une mère qui crée des liens d'amitié avec sa progéniture renonce de facto *à l'autorité parentale. Et sacrifie du même coup ce dont l'enfant a le plus besoin : un garde-fou.*

A l'opposé, qui s'arroge une autorité parentale déplacée sur un ami oublie la nature même de leur relation : le respect.

C'est le principe d'une amitié authentique, le phare qui guide et illumine les existences...

Et il n'y a pas de respect sans confiance.

Nous prions pour Wulfgar, espérant que nos chemins se croiseront de nouveau.

A plus d'un titre, les épreuves de Wulfgar sont devenues les miennes. Mais je comprends mieux à quel point nos conceptions divergent.

Et que dire de mon lien avec Catti-Brie !

L'amour qui nous lie est évident, au point sans doute d'avoir motivé la pénible décision de Wulfgar.

Ce qui l'est beaucoup moins, c'est sa nature.

De bien des façons, Catti-Brie et moi sommes devenus comme frère et sœur, selon les concepts humains, pas les drows, bien entendu !

Depuis des années, nous comptons l'un sur l'autre quoi qu'il advienne.

Je donnerais ma vie pour Catti-Brie, et elle pour moi.

Dans le monde, il n'est personne avec qui je passerais plus volontiers mon existence.

Qui mieux que Catti-Brie saurait admirer avec moi le lever du soleil et comprendre les émotions qui me bouleversent ?

Qui saurait se battre à mes côtés et faire l'éloge de mes prouesses ?

Qui mieux qu'elle saurait déchiffrer mes silences et lire dans mon cœur à livre ouvert ?

Que faut-il en conclure ?

L'attirance physique existe. Ma Catti-Brie a l'espièglerie de l'innocence. Mais malgré sa compassion, il y en a en elle un aspect sombre et dangereux... Apte à faire trembler les ennemis comme les amants.

Je crois que Catti-Brie ressent exactement les mêmes choses.

Aventurons-nous sur ce territoire inconnu, et nous nous exposerons à de terribles dangers...

Je suis un Drow. Un jeune *Drow. Ma vie commence à peine. Si les dieux le veulent, je traverserai encore de nombreux siècles.*

Catti-Brie est humaine. Elle est jeune, mais son espérance de vie est loin d'être la mienne : il lui reste quelques décennies. Et sa vie est déjà assez compliquée par l'amitié d'un elfe noir !

Si nous devenions amants, je n'ose imaginer les difficultés qu'elle devrait surmonter.

Sans parler de nos enfants, qui ne seraient acceptés nulle part.

Quelle société accueillerait en son sein des hybrides drows ?

Si elle existe, je n'en ai jamais entendu parler.

Quand je regarde Catti-Brie, je sais ce que je ressens. Et je crois à la réciprocité.

Là encore, ça paraît si simple... Et c'est en réalité si compliqué !

Drizzt Do'Urden

CHAPITRE XIII

ARME SECRÈTE

— Avez-vous retrouvé l'exilé ? demanda Jarlaxle à Rai'gy Bondalek.

Campé près du chef des mercenaires, Kimmuriel Oblodra paraissait désarmé et vulnérable.

C'était bien mal connaître les pouvoirs de son esprit.

— Il est en compagnie d'un nain, d'une femme et d'un petit homme, répondit Rai'gy. Parfois, une panthère noire se joint à eux.

— Guenhwyvar..., lâcha Jarlaxle. Elle appartenait jadis à Masoj Hun'ette. C'est une arme magique puissante.

— Mais il y a plus redoutable, dit Rai'gy. A sa ceinture, l'exilé Do'Urden porte un artefact à l'aura effrayante. Malgré la distance et à travers la clairevision, j'ai senti la force de son appel...

— De quoi s'agit-il ? demanda Jarlaxle, toujours à l'affût d'une bonne affaire.

Rai'gy secoua la tête, faisant voler ses mèches blanches.

— D'aucun *dweomer* de ma connaissance...

— N'est-ce pas la définition même de la magie ? dit Kimmuriel Oblodra avec un dégoût manifeste. Une entité inconnue et incontrôlable...

Rai'gy lui jeta un regard courroucé.

Jarlaxle sourit.

— Tâchez d'en savoir plus, Bondalek, demanda-t-il. Peut-être serions-nous avisés de répondre à ce mystérieux appel. A quelle distance est le groupe de Do'Urden et combien de temps faudra-t-il pour le rattraper ?

— Loin et longtemps..., voilà les réponses à vos questions, ricana Rai'gy. Par ailleurs, des géants et des gobelins ont multiplié les attaques contre ces gens.

— L'artefact n'est peut-être pas très regardant avec ceux qu'il attire, lança Kimmuriel, sarcastique.

Rai'gy l'ignora.

— Le groupe s'est embarqué à Eau Profonde.

— Son navire cingle vers le sud ? s'enquit Jarlaxle.

— Je crois, répondit Rai'gy. Mais peu importe. La magie et nos pouvoirs psychiques, cher Kimmuriel, nous permettront de le rattraper très vite.

— Ne perdons pas de temps, dans ce cas, dit Jarlaxle.

— Ne devions-nous pas rendre visite à certaines guildes cette nuit ? rappela Rai'gy.

— Votre présence ne sera pas nécessaire, prêtre-sorcier, assura Jarlaxle. Il s'agit de guildes mineures.

— Même les guildes mineures auraient intérêt à se doter de sorciers.

— Le nécromancien de la première corporation est un ami d'Entreri ! précisa Jarlaxle. Quant à l'autre, elle compte surtout des petites gens, qui ne connaissent rien à la magie. Demain soir, en revanche, j'aurai besoin de vous. Pour l'heure, continuez d'observer Drizzt Do'Urden et ses compagnons. Au bout du compte, ce sera l'obstacle majeur à surmonter.

— En raison de l'artefact ? demanda Kimmuriel.

— En raison du désintérêt d'Entreri, rectifia Jarlaxle.

Le prêtre-sorcier secoua la tête.

— Nous lui avons offert le pouvoir et la fortune au-delà de ce qu'il pouvait imaginer... Pourtant, il a tout d'un homme qui s'apprête à affronter la Reine Araignée !

— Tant qu'il n'aura pas résolu son conflit intérieur, il ne pourra rien apprécier, expliqua Jarlaxle.

Son meilleur atout dans la vie était sa capacité à comprendre les amis et les ennemis sans recourir à la claire-vision.

Un don naturel.

— Mais pour l'instant, son manque de motivation n'est pas ce qui importe, continua Jarlaxle. Que le cœur y soit ou pas, Entreri se battra comme un lion le moment venu. Je le connais. Chez les humains, il n'a pas son pareil. Il est aussi dangereux que rusé.

— Dommage qu'il ait la peau si claire, lança Kimmuriel.

Jarlaxle sourit. Si Entreri était né drow, il aurait compté parmi les meilleurs maîtres d'armes... Et, pourquoi pas, remplacé Jarlaxle à la tête de Bregan D'aerthe.

— Quand le soleil se lèvera, nous continuerons cette conversation à l'ombre des tunnels, conclut le mercenaire. Rai'gy, réunissez d'autres informations.

Le prêtre-sorcier s'inclina et quitta la pièce.

Jarlaxle fit un signe à Kimmuriel.

Il était temps de partir en chasse.

Avec leurs minois poupins, les petites gens faisaient souvent « fondre » d'autres races.

Quand un portail magique se matérialisa dans l'établissement de Dwahvel, leurs grands yeux s'écarquillèrent à la vue de...

... Artémis Entreri.

En veste et en boléro noirs, des franges tombant artistiquement sur la cambrure de ses reins, le tueur avait superbe allure !

Les bonds dimensionnels s'accompagnaient toujours de vertiges. Pour donner le change, Kimmuriel avait conseillé à l'humain d'adopter une posture orgueilleuse, poings sur les hanches.

Entreri n'était pas homme à négliger ce genre d'astuce.

Dans la pièce qu'on apercevait de l'autre côté du portail magique, des silhouettes sombres s'agitaient.

Un petit homme avança pour barrer la route à l'intrus. Une des silhouettes fit un geste...

Et l'audacieux s'écroula sans une plainte ni un murmure.

— Il a reçu une dose de soporifique, expliqua Entreri alors que les autres petits hommes s'emparaient de leurs armes. Je ne viens pas me battre avec vous. Cependant, si vous insistez, soyez prêts à rendre votre dernier soupir...

— Vous auriez pu passer par l'entrée, lança Dwahvel, sardonique.

— Je ne voulais pas qu'on me remarque. Dans votre propre intérêt...

— Et comment appelez-vous votre façon de faire ? Vous surgissez ici sans crier gare, et sans qu'aucune de mes protections magiques ne vous arrête... Entre parenthèses, que d'argent gaspillé !

— Laissons la magie à mes ennemis, répondit Entreri. Sachez que je ne suis pas revenu à Calimport pour rester dans l'ombre, aux ordres des uns et des autres. J'ai parcouru les Royaumes et je reviens au bercail plus mûr et plus aguerri.

— Artémis Entreri arrive donc en conquérant...

Dwahvel fit signe à ses gardes de se tenir tranquilles.

A ce stade, affronter un tueur comme Entreri coûterait très cher à la petite femme.

— Peut-être, concéda l'humain. Qui vivra verra.

— Il faudra davantage qu'une téléportation réussie pour me convaincre de vous soutenir, répliqua Dwahvel. Faire le mauvais choix serait fatal à ma guilde.

— Je ne vous demande rien, assura Entreri.

Elle le regarda, dubitative. Ses gardes ne dissimulaient pas davantage leur scepticisme.

— En ce cas, pourquoi venir me voir, humain ?

— Pour vous confirmer qu'une guerre est sur le point d'éclater. Je vous devais bien ça.

— Et vous apprécieriez que j'ouvre de nouveau toutes grandes mes oreilles...

— Pourquoi pas ? Je n'oublierai pas les services que vous m'aurez rendus.

— Et si vous échouez ?

— Vous vous tiendrez sur vos gardes, bien sûr ! Dans votre intérêt, Dwahvel Tiggerwillies, restez neutre. Notre amitié nous est bénéfique à tous deux, mais si j'apprends que vous m'avez trahi, j'aurai la peau de votre guilde ! Faites-moi confiance !

Après une révérence, il franchit le portail.

Des globes de ténèbres envahirent la salle.

Puis la lumière revint.

Le garde continuait de ronfler paisiblement.

— Entreri ne manque pas d'amis, remarqua un des petits hommes.

Heureuse d'avoir fait le bon choix, Dwahvel Tiggerwillies hocha la tête.

Elle n'aurait pas voulu d'un ennemi comme Entreri.

— Avec toi, la vie ne manque pas de piment ! gémit LaValle avec un soupir dramatique.

Sans être annoncé ni attendu, Artémis Entreri avait surgi de nulle part.

D'où venait-il ? Mystère !

— Tu as échappé aux griffes de Kadran Gordeon. Félicitations, mon cher.

Le sorcier s'efforça de garder une mine composée. Pour la deuxième fois, l'assassin s'infiltrait dans ses appartements malgré toutes ses protections magiques !

Et alors que Bodeau avait multiplié les défenses de sa guilde.

Autant qu'il respectât Entreri, LaValle n'aurait pas cru qu'il se jouerait si facilement des alarmes et des pièges.

Quel diable d'homme !

— S'introduire ici n'avait rien d'un exploit, lâcha Entreri, dédaigneux. J'ai parcouru le vaste monde. Il existe d'autres puissances que celles de Calimport, et elles sont très différentes. Elles me procurent ce que je veux.

LaValle choisit un fauteuil confortable, s'y accouda et mit son menton dans sa paume.

Entreri était-il plus félin qu'humain pour se moquer ainsi des contraintes ordinaires ? Le sorcier promena un regard désabusé sur les collections de statuettes, de gargouilles, d'oiseaux exotiques, de crânes et d'objets magiques en tout genre qui remplissaient son étude.

Sans compter la boule de cristal.

C'était l'œuvre d'une vie entière, le fruit des recherches incessantes inhérentes au statut de sorcier.

Chaque objet pouvait détruire un être humain.

Sauf Artémis Entreri.

Quel était le secret de cet homme ? Son maintien ? Sa démarche ? L'aura de pouvoir dont il s'entourait, aussi tangible que sa cape ou son boléro noir ?

— Va chercher Quentin Bodeau, ordonna l'assassin.

— Etre impliqué ne lui plaira pas.

— Il l'est déjà. L'heure est venue pour lui de faire son choix.

— Entre toi et... ?

— ... Et les autres.

LaValle inclina la tête, intrigué.

— Tu veux défier tout Calimport ?

— Non mais tous ceux de Calimport qui se dresseront contre moi.

LaValle ne sut qu'en penser. Il n'avait jamais rencontré d'homme plus matois ou plus sûr de lui. Mais si Entreri croyait venir à bout seul des Basadoni et compagnie, il avait une araignée au plafond !

Pourtant...

— Devrais-je aussi appeler Chalsee Anguaine ? s'enquit le sorcier.

— Chalsee sait déjà combien toute résistance est futile.

LaValle pivota, piqué au vif.

— Tu m'aimes comme un frère, sorcier, expliqua Entreri, et je ne doute pas que tu verras la lumière... L'attitude du lieutenant, en revanche, restait problématique. Il fallait le convaincre ou l'éliminer.

L'assassin prit le siège vide et s'installa confortablement.

— Il est on ne peut plus convaincu... Donc, va chercher Bodeau. Lui aussi fera le bon choix.

— L'aura-t-il vraiment, ce choix ? osa demander LaValle.

— Bien sûr que non.

Le sorcier trouva Bodeau dans ses appartements privés, et lui annonça le retour du tueur.

Le maître blêmit.

— Vous avez parlé à Chalsee ? s'enquit le sorcier.

— Nous vivons des temps maléfiques..., marmonna Bodeau, ignorant la question.

Il quitta la pièce avec tout l'enthousiasme d'un condamné à mort marchant vers l'échafaud.

— Des temps maléfiques ? répéta LaValle à mi-voix, incrédule.

Comment le maître d'une guilde sanguinaire pouvait-il faire de tels commentaires ? Ça n'avait pas de sens !

LaValle retrouva Entreri dans son fauteuil. L'assassin était certain que Bodeau n'oserait pas l'affronter.

— Qu'exigez-vous de moi, Entreri ? demanda-t-il.

— J'ai décidé de commencer par les Basadoni. Après tout, ils sont à l'origine du conflit. A vous de localiser leurs soldats et d'en savoir plus sur leurs opérations.

— Je vous promets de ne souffler mot à personne de votre venue et d'empêcher mes hommes d'intervenir, proposa Bodeau.

— Vos soldats ne *peuvent pas* intervenir ! répliqua Entreri, un éclat dangereux dans ses prunelles noires.

Ebahi, LaValle regarda Quentin Bodeau lutter pour maîtriser ses tremblements.

L'assassin avait pris un ton glacial. Comme si Bodeau et la guilde pouvaient être éliminés la nuit même...

— J'ai stipulé les conditions de votre survie. Alors ?

— Je vais réfléchir...

— Je veux une réponse maintenant !

Bodeau foudroya son sorcier du regard. LaValle comprenait trop bien son ressentiment...

S'armant de courage, le maître continua de protester.

— Vous me demandez de m'opposer aux pashas les plus puissants de la ville !

— A vous de choisir.

— Je verrai ce que mes espions pourront découvrir..., promit Bodeau.

— Très sage. A présent, laissez-nous. J'ai un mot à dire à LaValle.

Trop heureux de quitter une compagnie si dangereuse, Quentin Bodeau tourna les talons et sortit.

Non sans un dernier regard venimeux pour le sorcier.

— Je n'ose imaginer quels atouts tu as en main, dit La Valle à Entreri.

— Je reviens de Menzoberranzan. La cité des Drows.

LaValle resta bouche bée.

— Et j'en rapporte bien davantage que des colifichets.

— Tu t'es allié à...

— Toi seul seras au courant, avertit Entreri. Mesure la responsabilité qui va de pair avec ce secret.

— Mais Chalsee Anguaine ? Tu as dit que tu l'avais convaincu !

— Un ami a implanté dans son esprit des visions trop atroces pour qu'il continue à me résister. Chalsee ignore ce qui lui est arrivé. Il sait seulement que s'il s'obstine, il se condamnera à un sort épouvantable. Quand il a fait son rapport à Bodeau, sa terreur était authentique.

— Et quel rôle devrai-je jouer dans tes rêves de grandeur ? demanda le sorcier, jugulant à grand-peine son ironie. Si Bodeau te déçoit, qu'adviendra-t-il de LaValle ?

— Ne crains rien, je te laisserai une issue de secours. Je te dois bien ça.

Il se leva et prit une dague sur le bureau.

Entreri se montrait pragmatique, pas magnanime. Il tenait à ce que le sorcier vive, afin d'utiliser ses compétences quoi qu'il advienne.

— Que maître Bodeau se soit si vite incliné te surprend, n'est-ce pas ? continua le tueur. Comprends-le : de deux maux, il devait choisir le moindre. Ou j'échoue, et il s'attirera les foudres des Basadoni pour s'être compromis avec moi, ou il me défie et il se condamne aussitôt à une fin atroce.

LaValle afficha un détachement qu'il était loin de ressentir.

— Il te reste du pain sur la planche..., conclut Entreri. Alors, à bientôt.

D'une flexion du poignet, il lança la dague. Elle se ficha avec un bruit mat dans le mur le plus proche.

C'était le signal qu'attendait Kimmuriel Oblodra pour replonger en transe.

Les voies dimensionnelles qu'empruntait l'humain dépendaient de lui.

LaValle caressa l'idée de bondir à la suite d'Entreri pour percer à jour le mystère.

Le bon sens prévalut.

De nouveau seul, le sorcier respira.

— Je ne comprends pas, admit Rai'gy Bondalek.

Entreri avait rejoint Jarlaxle, Kimmuriel et le prêtre-sorcier dans les tunnels qui couraient sous Calimport.

Rai'gy ralentit son débit au bénéfice de l'humain. Si Entreri comprenait assez bien la langue drow, il ne la maîtrisait pas encore. Le prêtre-sorcier estimait indigne de lui de s'essayer au commun, la langue des humains. Même si pour l'apprendre, il lui eût suffi de lancer le sort idoine... Sans parler du sortilège qui permettait à des interlocuteurs de toute origine et de toute langue de communiquer par magie.

Si Bondalek continuait à parler en drow, c'était dans l'espoir de déstabiliser quelque peu l'humain.

— D'après tout ce que vous avez dit, les petites gens seraient mieux à même d'effectuer les tâches dont vous avez chargé Quentin Bodeau.

— Je ne doute pas de la loyauté de Dwahvel, répondit Entreri en commun, observant Rai'gy.

Ce dernier interrogea Jarlaxle du regard.

Amusé par la mesquinerie du petit jeu, le mercenaire sortit un petit globe de sous sa cape et prononça un mot de pouvoir.

Le tour était joué : tout le monde allait se comprendre.

Entreri continua à parler en commun, que le sortilège traduisait en drow pour Rai'gy.

Et inversement.

— Dwahvel n'est pas une menace, insista Artémis.

— Et le pitoyable Quentin Bodeau et son minable de sorcier en seraient une ? s'écria Bondalek, incrédule.

— Ne sous-estimez pas la guilde de Bodeau, dit Entreri. Ces gens tiennent les rues et ils n'ont pas leurs yeux dans leurs poches.

— Alors vous avez obligé Bodeau à prendre prématurément position, afin qu'il ne puisse pas se retrancher derrière l'ignorance, quoi qu'il advienne.

— Et après ? demanda Kimmuriel.

— Nous nous emparerons de la guilde Basadoni, expliqua Entreri. Ce sera notre base d'opérations. Dwahvel et Bodeau veilleront à ce que les autres se tiennent tranquilles.

— Et après ? insista Kimmuriel.

Entreri sourit ; Kimmuriel parlait sur les ordres de Jarlaxle.

— Après, nous prendrons les choses comme elles viennent...

Quand l'humain quitta la salle, Jarlaxle regarda ses compagnons avec fierté.

— Ne l'ai-je pas bien choisi ?

— Il raisonne comme un Drow, approuva Rai'gy.

Etait-il plus grand compliment qu'un elfe noir puisse faire à un humain ?

— Cela dit, ajouta le prêtre-sorcier, il aurait intérêt à apprendre notre langue et le langage des signes.

Ravi de la tournure que prenaient les événements, Jarlaxle éclata de rire.

CHAPITRE XIV

RÉPUTATION

Les sens émoussés par l'alcool, il ne savait plus ce qui arrivait. La poitrine en feu, il avait l'impression de flotter.

Wulfgar empoigna l'individu par le col et le souleva du sol. Deux cents livres, à bout de bras !

Le barbare se fraya un chemin dans la foule du *Sabre d'Abordage*...

A l'instant où l'ivrogne protestait, il fut propulsé dans les airs et atterrit dehors, face dans la boue.

Josi Puddles estima la longueur du vol plané de l'ivrogne.

— Quinze pieds..., dit-il à Arumn. Et d'un seul bras. Mazette !

— Je t'avais bien dit qu'il était costaud, répondit Arumn, jouant les blasés.

Durant les semaines suivant l'embauche de Wulfgar, de nombreuses scènes similaires s'étaient déroulées.

— Dans la rue Demi-Lune, on ne parle plus que de lui, ajouta Josi. L'auberge ne désemplit plus.

Arumn comprit parfaitement le sous-entendu. Dans les bas-fonds de Luskan, on ne plaisantait pas avec la hiérarchie. La réputation de Wulfgar grandissait tellement que certains caïds ne tarderaient pas à réagir.

— Tu aimes bien ce barbare, pas vrai ? demanda Josi.

Arumn soupira. Il avait embauché Wulfgar par intérêt. L'aubergiste évitait tout rapprochement avec ses videurs, en général des solitaires nés. Certains s'en prenaient aux mauvaises personnes et le lendemain, on retrouvait leur cadavre dans le caniveau...

Avec Wulfgar, Arumn avait perdu sa réserve. Tard la nuit, quand l'établissement fermait ses portes et qu'il préparait la salle pour le lendemain, Wulfgar venait boire avec lui. C'était devenu une routine agréable. Arumn appréciait le barbare. Une fois éméché, il abandonnait sa distance et commençait à se livrer.

Plus d'une fois, les deux hommes étaient restés ensemble jusqu'à l'aube. Wulfgar évoquait sa terre natale, le nord aride, le Val Bise, ses amis et ses ennemis... Des histoires à faire dresser les cheveux sur la tête !

Arumn avait tellement entendu parler d'Akar Kessel et de l'Eclat de Cristal qu'il pouvait presque voir l'avalanche emporter le sorcier et l'artefact maudit dans le Cairn de Kelvin...

Chaque fois que Wulfgar évoquait les tunnels de Mithril Hall ou l'invasion des elfes noirs, Gardpeck en frémissait d'effroi.

Décidément, le barbare tenait une place à part dans sa vie.

— S'il continue comme ça, prévint Josi Puddles, ton Wulfgar attirera bientôt Morik le Rogue et Casse-Trois-Blocs. Tu ferais mieux de le calmer.

Arumn frémit. Avant de réagir face à une menace, un rival potentiel, Morik le Rogue prenait tout son temps pour l'observer. Il en était d'autant plus dangereux.

Le fougueux Trois-Blocs passerait beaucoup plus vite à l'attaque.

A en croire les rumeurs, l'humain le plus redouté de la ville avait un peu de sang orc et ogre dans les veines...

— Wulfgar ! appela Arumn. (Le barbare vint près de lui.) Etais-tu obligé de jeter cette lavette dehors ?

— Il a mis la main où il ne fallait pas. Delly voulait qu'il débarrasse le plancher.

Arumn chercha des yeux Delenia Curtie.

A moins de vingt ans, la jeune femme avait déjà plusieurs années de « bons et loyaux services ». Elle était si menue qu'on lui prêtait volontiers une ascendance elfique. Elle négligeait sa chevelure blonde et son regard marron avait perdu toute innocence. Privée de soleil et de nourriture saine, sa peau avait aussi perdu son velouté.

Sa démarche trahissait la prudence instinctive d'une femme trop sollicitée et harcelée.

Néanmoins, Delly gardait un charme piquant auquel nombre de clients n'avaient pas la force de résister.

— Si tu veux estourbir tous les hommes qui lui mettent la main aux fesses, tu n'as pas fini ! ironisa Arumn. Et moi, je n'aurai plus qu'à fermer boutique en moins d'une semaine... Contente-toi de les décourager. Inutile de les propulser jusqu'à Eau Profonde !

Le barbare hocha la tête puis retourna à sa tâche.

Moins d'une heure plus tard, un autre escogriffe, le nez et la bouche en sang, s'envola...

... pour atterrir de l'autre côté de la rue.

Wulfgar souleva sa tunique, révélant ses cicatrices.

— Il me tenait dans sa gueule..., expliqua-t-il d'une voix pâteuse.

Une bonne dose d'alcool dans le sang, il pouvait parler de son duel contre le yochlol.

— J'étais comme une souris dans la gueule du chat... Mais cette souris-là avait du mordant !

Son regard caressa Aegis-fang, posé sur le comptoir.

— C'est le plus beau marteau de guerre que j'ai jamais vu, observa Josi Puddles.

Le regard dans le vague, Wulfgar enfouit la tête entre ses bras avec un gros soupir.

Delly lui effleura l'épaule. Arumn le fit se lever et l'aida à regagner son antre.

Tard cette nuit-là, des rayons de lune filtrant de la fenêtre tirèrent le barbare de son sommeil. Il réalisa que ce n'était pas sa chambre.

La sienne n'avait pas de fenêtre.

Son regard se posa sur la femme qui dormait à ses côtés.

Delly.

Elle l'avait emmené dans sa chambre. Wulfgar se rappela ce qui s'était passé ensuite.

Au souvenir de son coup de folie avec Catti-Brie, la peur le saisit. Il posa une main tremblante sur le cou de Delly... et soupira de soulagement.

Son pouls était normal.

Il tourna la jeune femme nue sur le dos et s'assura qu'il ne l'avait pas brutalisée.

Wulfgar se leva, et contempla la lune.

Catti-Brie devait la regarder, elle aussi.

Delly s'était de nouveau blottie sous une petite montagne de couvertures.

Il avait réussi à lui faire l'amour sans colère, sans la confondre avec une succube...

Liberté ! Il pourrait quitter Luskan et courir à la recherche de ses amis !

Puis il comprit.

La boisson lui avait permis d'ériger une barrière contre ses souvenirs. Derrière ce bouclier protecteur, il parvenait à vivre au jour le jour, plus dans le passé.

La voix sensuelle de Delly retentit.

— Reviens te coucher...

Wulfgar étudia la jeune femme, unique gardienne de ses possessions et de ses émotions. Elle s'était assise dans le lit, torse nu.

Il résista à l'appel de sirène. N'étant plus fin soûl, il risquait de retomber sous l'influence de ses démons et de blesser Delly.

Combien il serait facile de tordre son cou de cygne dans un accès de rage !

Wulfgar réunit ses habits.

— Plus tard. Ce soir, avant le travail.

— Mais tu n'as pas besoin de partir aussi vite !

— Si... (Voyant que sa réponse abrupte froissait Delly, il répéta plus doucement :) Je reviendrai.

Il l'embrassa sur le front et gagna la porte.

— Tu imagines que je voudrai encore de toi !

Wulfgar pivota, surpris par la dureté du ton. Le regard glacial, Delly avait croisé les bras.

Il réalisa qu'il n'était pas seul, dans cette pièce, à être taraudé par ses démons.

— Pars, ajouta Delly. Et reviens si ça te chante. Mais si un autre est dans mon lit, tu le verras bien.

Wulfgar secoua la tête et sortit.

Quand il trouva enfin le sommeil, une bouteille vide près de lui, le soleil pointait à l'horizon.

Réveillé, il n'en aurait rien vu, puisque sa chambre n'avait pas de fenêtre.

Il préférait qu'il en aille ainsi.

CHAPITRE XV

L'APPEL DE CRENSHINIBON

La proue du navire fendait les flots. Les gouttelettes glacées rafraîchissaient Catti-Brie, campée à la proue. Il faisait une chaleur torride.

Le *Quêteur* faisait voile vers le sud.

Loin du Val Bise et d'Eau Profonde où les compagnons avaient embarqué trois jours plus tôt.

Et loin de Wulfgar.

Catti-Brie s'interrogeait sur sa décision. Avait-elle bien fait de le laisser chercher sa voie ? N'avait-il pas besoin de ses amis ?

Refoulant ses larmes, elle contempla l'écume qui filait sous l'étrave du navire.

Il y avait une mission vitale à remplir. L'Eclat de Cristal restait une entité redoutable. Avec ses promesses alléchantes, le démon attirait tous les êtres au cœur noir.

Crenshinibon en poche, le chemin était vraiment semé d'embûches !

Les compagnons avaient décidé de continuer par la mer. Leurs ennemis auraient plus de mal à les atteindre.

Drizzt et Catti-Brie avaient déploré que le capitaine Deudermont ne soit pas au port.

Moins de deux heures après qu'ils eurent quitté Eau Profonde, un marin avait essayé de voler à Drizzt le cristal maléfique. Assommé par le Drow, l'homme, ligoté et bâillonné, avait été transféré à bord d'un autre vaisseau qui croisait le *Quêteur*.

A Eau Profonde, le marin serait jugé et châtié.

Depuis, aucun autre incident n'avait troublé le voyage. L'horizon était rarement coupé par d'autres voilures.

Drizzt rejoignit Catti-Brie, penchée au-dessus du bastingage. Bruenor et Regis le suivirent, nettement moins silencieux.

— Encore quelques jours, dit le Drow, et nous serons à la Porte de Baldur.

Il gardait sa capuche rabattue, voilant à demi son visage. Ce n'était pas pour éviter les embruns – l'elfe noir appréciait leur fraîcheur autant que Catti-Brie –, mais pour se préserver de l'ardeur du soleil.

A bord du *Farfadet des Mers* du capitaine Deudermont, le Drow et l'humaine avaient passé des années à courir les océans. Mais la réverbération de la lumière sur l'eau continuait d'incommoder Drizzt.

— Comment va Bruenor ? demanda la jeune femme, feignant de ne pas avoir entendu arriver son père.

— Il se languit du plancher des vaches et brûle d'en découdre avec le monde entier afin de quitter plus vite ce cercueil flottant..., répondit le Drow, entrant dans le jeu de Catti-Brie. En revanche, Régis est tout à fait à son aise. Il est ravi de finir les rations de Bruenor.

Catti-Brie eut un sourire fugace.

— Crois-tu que nous *le* reverrons ?

Soupirant, Drizzt tourna son regard vers la mer.

Contre toute logique, Catti-Brie et lui auraient voulu voir leur ami arriver à la nage...

— Je l'ignore. Dans l'humeur où il était, Wulfgar a pu se faire quantité d'ennemis... Au nord, les êtres malveillants et les monstres ne manquent pas. Certains sont assez puissants...

— Bah ! grommela Bruenor. On retrouvera mon garçon, croyez-moi. Et je lui ferai regretter d'avoir frappé ma fille et de m'avoir autant inquiété !

— Nous le retrouverons, renchérit Régis. Dame Alustriel et les Harpells nous aideront.

A la mention des Harpells, Bruenor grommela.

Cette dynastie de sorciers excentriques était connue pour sa propension à s'envoler accidentellement en fumée, quand elle ne réduisait pas ses amis ou son entourage en cendres... Les Harpells avaient aussi une fâcheuse tendance à se métamorphoser, à leur corps défendant, en diverses espèces animales.

Des métamorphoses irréversibles, cela allait de soi.

Les Harpells ? Des « catastrophes ambulantes » !

— Alustriel, approuva Régis. Elle nous accordera certainement son aide.

— Bah ! Comme si des guerriers nomades de sept pieds de haut étaient si communs ! s'indigna Bruenor. Surtout en possession de marteaux capables d'assommer des géants ou de faire s'écrouler des maisons ! Retrouver mon fiston n'aura rien de sorcier, sacrebleu !

— Catti-Brie, voilà une profession de foi qui devrait répondre à ta question, fit Drizzt.

La jeune femme eut un autre pauvre sourire. A supposer qu'ils retrouvent Wulfgar, dans quel état serait-il ? S'il n'était pas blessé, voudrait-il les revoir ? Serait-il de meilleur poil ?

Un fait demeurait : Wulfgar avait profondément blessé Catti-Brie en la frappant.

Elle lui pardonnerait.

Une fois.

Pas deux.

Elle regarda son ami drow.

Puis elle se tourna vers Bruenor et Régis.

Tous voulaient revoir Wulfgar.

Pas celui qu'ils venaient de laisser, mais le jeune homme qu'avait emporté le yochlol.

— Une voilure au sud ! lança Drizzt, arrachant sa compagne à ses réflexions.

Elle plissa les yeux, s'efforçant vainement d'apercevoir le vaisseau. Elle n'avait pas la vue acérée des Drows.

Un cri de la vigie confirma l'exclamation de Drizzt.

— Quel est son cap ? demanda le capitaine Vaines, campé au milieu du pont.

— Le nord, répondit Drizzt à voix basse.

Seuls Catti-Brie, Bruenor et Régis l'entendirent.

— Le nord ! cria la vigie quelques secondes plus tard.

— Ta vue s'est affinée au soleil, souffla Bruenor.

— Drizzt peut remercier le capitaine Deudermont, lança Catti-Brie.

— Mes yeux, et ma perception des intentions, précisa l'elfe noir.

— De quoi parles-tu ? s'exclama le nain.

D'une main levée, Drizzt le fit taire.

— Régis, va dire au capitaine Vaines de mettre la barre à l'ouest.

Une minute plus tard, le *Quêteur* changea de cap.

— Notre voyage va être plus long, se plaignit Bruenor.

De nouveau, Drizzt le fit taire.

— Le vaisseau a changé de cap, lui aussi. Il veut nous intercepter.

— Des pirates ? demanda Catti-Brie.

Le capitaine Vaines, qui avait rejoint le groupe de Drizzt, posa la même question.

— En tout cas, ces gens-là ne sont pas en difficulté, dit le Drow. Leur navire file aussi vite que le nôtre. Il ne bat pas pavillon royal. Et il ne peut s'agir d'un patrouilleur côtier, puisque nous sommes en haute mer.

— Des pirates ! conclut le capitaine Vaines, écœuré.

— Comment peux-tu savoir tout ça, Drizzt ? s'étonna Bruenor, éberlué.

— A force de les combattre, lança Catti-Brie, on apprend à les voir arriver de loin. Et nous en avons combattu plus souvent qu'à notre tour.

— C'est ce que j'ai entendu raconter, à Eau Profonde, dit Vaines.

C'était pour ça qu'il avait accepté les voyageurs à son bord. Normalement, une femme, un nain et un petit homme auraient eu bien du mal à obtenir un passage à bord des vaisseaux d'Eau Profonde.

Sans parler de la somme à débourser...

Et sans mentionner un elfe noir !

Par bonheur, parmi les marins d'Eau Profonde, les noms de Catti-Brie et de Drizzt Do'Urden étaient devenus une musique céleste.

Le navire pirate se rapprochait. Le capitaine et la vigie l'observaient avec leur longue-vue. Vaines reconnut la voilure triangulaire caractéristique.

— C'est un schooner, dit-il. Un petit. Son équipage se limite à vingt marins. Il ne nous posera pas de problème.

Le *Quêteur* était une caravelle dotée de trois rangs de voilures et d'une carène profilée lui permettant des pointes de vitesse appréciables. Elle transportait des catapultes et ses bordés étaient renforcés.

Un schooner ne semblait guère faire le poids.

Mais combien de pirates avaient sous-estimé le navire de Deudermont... pour finir coulés par le fond ?

— Cap plein sud ! ordonna Vaines.

Le timonier obéit.

Le schooner suivit.

— Il est trop au nord, dit le capitaine, pensif. Les pirates ne s'aventurent pas si loin, d'ordinaire. Et ils ne s'approcheraient pas de nous ainsi...

Il lissa sa barbe poivre et sel.

Drizzt et Catti-Brie partageaient ses doutes. Vingt pirates ne suffiraient pas contre les soixante marins du *Quêteur*. Mais un sorcier modifiait souvent l'équilibre des forces.

— Pirates ou pas, lâcha Bruenor, ces lascars filent droit sur nous !

Hochant la tête, Vaines rejoignit son timonier.

— Je prends mon arc et je grimpe sur le nid de poule ! lança Catti-Brie.

— Choisis bien tes cibles, recommanda Drizzt. Si tu réussis à abattre les officiers de ce navire, le reste de l'équipage fuira.

— Est-ce ainsi qu'agissent les pirates ? demanda Régis.

— Ainsi agissent les ennemis inférieurs en nombre séduits par l'appel d'un démon, répondit Drizzt.

CHAPITRE XVI

FRÈRES DE L'ESPRIT ET DE LA MAGIE

Calé sur son siège, un sourire amusé sur les lèvres, l'elfe noir écoutait.

Sur la magnifique tunique qu'il avait offerte à Rai'gy Bondalek, Jarlaxle avait ajouté un artefact de clairevision. Il se confondait à la perfection avec les autres gemmes magiques cousues dans le tissu noir.

Quiconque chercherait plus loin découvrirait une simple pierre précieuse. En réalité, c'était la jumelle de celle que portait Jarlaxle. Elle lui permettait d'épier toutes les conversations de Rai'gy.

— ... *La réplique de l'artefact est sans défaut*, dit le prêtre-sorcier.

— *Alors vous devriez repérer l'exilé sans mal*, répondit Kimmuriel Oblodra.

— *Ses compagnons et lui sont encore en mer. Ils ne regagneront pas la terre ferme avant plusieurs jours.*

— *Jarlaxle exige plus d'informations*, rappela Oblodra. *Ou il me chargera de votre travail.*

— *Ah oui*, ironisa le prêtre-sorcier. *Il confiera mes responsabilités à mon principal adversaire...*

Jarlaxle ricana. Ces deux-là croyaient l'abuser en se posant en rivaux ! En réalité, ils avaient forgé de solides liens d'amitié, et ça convenait à Jarlaxle. Même en unissant leurs talents, jamais Oblodra et le sorcier ne s'attaqueraient au mercenaire. Ils n'avaient aucune envie de se retrouver à la tête de Bregan D'aerthe !

— *Le mieux*, continua Rai'gy, *ce serait d'approcher de l'exilé en étant déguisé. J'en sais long sur sa mission...*

Curiosité piquée au vif, Jarlaxle tendit l'oreille. Rai'gy entonna un chant de clairevision.

Quelques instants passèrent.

— *Celui-là, là-bas...*, fit Rai'gy.

— *Le garçon ? Oui... C'est une cible facile. Les humains n'endurcissent pas leurs enfants comme nous...*

— *Vous pourriez lui voler son esprit ?*

— *Sans problème.*

— *A travers la clairevision ?*

— *J'ignore si on a jamais tenté ça*, avoua Kimmuriel.

— *Vous auriez ses yeux et ses oreilles pour mieux épier Drizzt Do'Urden. Un gamin qui adorerait l'entendre raconter ses nombreuses aventures... Pourquoi s'en méfierait-il ?*

Jarlaxle sourit.

Ses subalternes ne manquaient pas d'ingéniosité.

C'était le secret du pouvoir : bien s'entourer et bien déléguer. Jarlaxle puisait sa force non en lui-même – aussi formidable fût-il – mais en ses guerriers.

L'affronter, c'était se mesurer à Bregan D'aerthe : un groupe de combattants d'élite, extraordinairement doués et compétents.

Se dresser contre Jarlaxle, c'était courir à sa perte.

Les guildes de Calimport retiendraient vite la leçon.

Et Drizzt Do'Urden aussi.

— J'ai contacté un autre plan d'existence. Grâce à ses résidents, qui interprètent sans peine les intrigues des Drows, j'en ai appris davantage sur l'exilé, annonça Rai'gy, le jour suivant.

Jarlaxle hocha la tête.

Ce petit mensonge lui importait peu.

— Ils naviguent à bord du *Quêteur*, continua le sorcier. Dans trois jours, ils seront à la Porte de Baldur.

— Ensuite ?

— Ils remonteront un fleuve jusqu'à la Côte des Epées, gagneront les Monts-Flocons et une communauté nommée l'Envol de l'Esprit. Un prêtre puissant, Cadderly, détruira Crenshinibon.

Jarlaxle plissa le front. Ce nom lui était familier, surtout associé à Drizzt Do'Urden. Les pièces du puzzle se mirent en place...

Un plan ingénieux naquit dans son esprit.

— Aussi important que leur destination : d'où viennent-ils ? demanda le mercenaire.

— Du Val Bise : une terre de glace où les vents soufflent toute l'année. Ils y ont laissé un certain Wulfgar qui doit être à Luskan, au nord d'Eau Profonde.

— Pourquoi n'est-il pas du voyage ?

Rai'gy secoua la tête.

— Il a des problèmes, c'est tout ce que je sais. Il a dû perdre quelque chose, ou vivre une tragédie...

— Des spéculations... Des hypothèses... C'est de nature à nous induire en erreur. Mais nous ne pouvons pas nous permettre de faux pas.

— Quel rôle joue Wulfgar ? demanda Rai'gy.

— Aucun, ou au contraire un rôle essentiel... Sans éléments supplémentaires, je ne saurai me prononcer. Si vous n'avez rien de plus, il est temps que je m'adresse à Kimmuriel.

Le prêtre-sorcier se raidit, comme sous l'impact d'un affront mortel.

— Souhaitez-vous en savoir plus sur l'exilé ou sur Wulfgar ? demanda-t-il d'un ton coupant.

— Je veux plus d'informations sur Cadderly, répondit Jarlaxle, lui arrachant un soupir exaspéré.

Levant les mains au ciel, Bondalek tourna les talons et s'en fut.

Crenshinibon... Wulfgar... Voilà qui donnait à réfléchir.

Lolth avait livré le barbare à Errtu.

Le démon qui cherchait le fameux cristal.

Peut-être était-il temps de rendre visite à Errtu. Tant pis si Jarlaxle détestait les créatures imprévisibles des Abysses ! Il survivait grâce à sa compréhension instinctive de ses ennemis. Mais les démons, c'était une autre paire de manches ! Leurs motivations ne répondaient à aucune règle. Des êtres capricieux en diable...

Le mercenaire sortit un long bâton ; d'une pensée, il se téléporta à Menzoberranzan.

Son tout nouveau lieutenant, naguère membre de la Première Maison de Menzoberranzan, l'attendait.

— Va trouver ton frère Gromph, ordonna Jarlaxle. Dis-lui que je souhaite entendre l'histoire de l'humain Wulfgar, du démon Errtu et de l'artefact Crenshinibon.

— Wulfgar a été capturé lors du raid contre Mithril Hall, le royaume du clan Battlehammer, répondit Berg'inyon Baenre. Une vestale le détenait. Elle l'a livré à Lolth.

— Pourtant, il est revenu dans notre plan d'existence, et à la surface, qui plus est !

Berg'inyon ne cacha pas sa surprise. Rares étaient ceux qui arrivaient à fuir la Reine Araignée !

Mais tout ce qui touchait à Drizzt Do'Urden échappait aux normes...

— J'irai voir mon frère aujourd'hui même, promit Berg'inyon.

— J'aimerais aussi en savoir plus sur un prêtre appelé Cadderly. (Jarlaxle lança une amulette à son lieutenant.) Avec cet artefact, ton frère me contactera sans peine.

Berg'inyon hocha la tête.

— A part ça, tout va bien ?

— La ville est assez tranquille, admit le lieutenant.

Depuis la débâcle de Mithril Hall, qui avait coûté la vie à Matrone Baenre, Menzoberranzan planifiait la succession dans les antichambres du pouvoir. En apparence, tout était calme.

A son crédit, Triel Baenre, la fille aînée de la défunte, avait su maintenir les affaires et la suprématie politique de son clan.

Mais la cité connaîtrait bientôt des guerres claniques sans précédent.

En conséquence, Jarlaxle avait décidé d'étendre son empire au monde de la surface, moins sanguinaire et plus malléable. Cela le rendrait d'autant plus précieux aux yeux d'une Maison ambitieuse.

La clé de voûte, c'est de s'allier à tous les adversaires en présence sans prendre parti, songea Jarlaxle.

Depuis des siècles, il jouait les funambules de génie avec une classe inouïe. Vivre sur le fil du rasoir... Quoi de plus grisant ?

— Trouve rapidement Gromph, répéta Jarlaxle. C'est de la plus grande importance. Avant que les cinq doigts de Narbondel ne s'éclairent, je dois avoir mes réponses.

Cinq doigts représentaient cinq jours.

Berg'inyon s'en fut. En un éclair, Jarlaxle fut de retour à Calimport.

Ses pensées volèrent vers d'autres préoccupations.

Berg'inyon, Gromph, Rai'gy, Kimmuriel... Il pouvait compter sur eux.

Il était temps de passer à la première phase du plan : l'annexion de la guilde Basadoni.

— Qui est là ? demanda un vieillard, d'un calme singulier face au danger.

Sortant d'un des portails dimensionnels de Kimmuriel Obladra, Entreri attendit que le vertige passe.

Il était dans la chambre du pasha Basadoni, derrière un paravent ouvragé. Son équilibre retrouvé, l'assassin dressa l'oreille.

Bien entendu, Kimmuriel et lui s'étaient assurés que le vieillard serait seul.

— Qui est là ?

Entreri contourna le paravent et entra sous la lumière des bougies.

Comme le vieux Basadoni avait l'air pitoyable ! Il n'était plus que l'ombre de lui-même... Jadis, ce pasha avait été le plus puissant de Calimport.

Les années l'avaient réduit à l'état de vieillard impotent, de marionnette à la merci des ambitieux...

Entreri se surprit à haïr les marionnettistes.

— Tu n'aurais pas dû venir, souffla Basadoni d'une voix rauque. Fuis la cité, car tu n'es plus chez toi nulle part...

— Tu as passé vingt ans à me sous-estimer, répondit Entreri d'un ton léger. (Il s'assit au bord du lit). Quand ouvriras-tu enfin les yeux ?

Basadoni eut un petit rire caverneux. Le tueur se fendit d'un de ses rares sourires.

— Je connais Artémis Entreri mieux que tu n'imagines. Depuis qu'il était un raton d'égout, s'amusant à tuer les intrus à coups de pierres...

— Des intrus que tu envoyais à mes trousses.

Souriant, Basadoni passa aux aveux.

— Il fallait bien que je te teste.

— Ai-je réussi l'examen de passage ?

Tout en parlant, Entreri analysait la conversation. On aurait dit deux vieux amis réunis après des années de séparation.

Ç'aurait pu être le cas.

Les lieutenants de Basadoni avaient fait en sorte de l'empêcher.

Malgré tout, le vieillard, seul et vulnérable, ne manifestait aucune peur.

Etait-il mieux préparé à la visite du tueur qu'il n'y paraissait ?

Après un examen minutieux de la chambre et du lit surélevé, il semblait bien que non.

Entreri contrôlait la situation. Et visiblement, Basadoni n'en avait cure.

Voilà qui était déconcertant.

— Toujours, toujours, répondit Basadoni. Jusqu'à maintenant, en tout cas... Car tu viens d'échouer. Alors que c'était un jeu d'enfant.

Entreri haussa les épaules.

— L'homme que je devais abattre était une loque. Moi qui ai passé haut la main toutes tes épreuves, et qui m'asseyais à ta droite quand j'étais tout jeune homme, devrais-je m'abaisser à étriper de pauvres paysans endettés ? Parlons-en, de ces dettes, d'ailleurs ! Un tire-laine novice pourrait les éponger en une matinée ! Soyons sérieux...

— Là n'est pas le problème, insista Basadoni. Je t'ai rouvert ma porte, alors que tu avais disparu depuis des années. Tu devais faire tes preuves... Pas vis-à-vis de moi ! se hâta-t-il de préciser, voyant Entreri se rembrunir.

— Non, vis-à-vis de tes imbéciles de lieutenants.

— Ils ont gagné leurs galons.

— C'est bien ce que je craignais.

— C'est au tour d'Artémis Entreri de sous-estimer l'adversaire... Mes lieutenants me servent bien.

— Assez pour m'empêcher d'entrer ?

Basadoni soupira.

— Es-tu venu me tuer ? (Il gloussa.) Non, tu n'as pas de raison... Il va de soi que si tu réussis l'épreuve, leur place te reviendrait aussitôt.

— Un autre test ?

— Que tu as toi-même créé...

— En épargnant une épave humaine qui appelait la mort de tous ses vœux ?

Frappé par le ridicule de la situation, Entreri secoua la tête de dégoût.

Le regard voilé du vieillard se fit plus acéré.

— Ainsi, ce n'était pas de la compassion ?

— De la *compassion* ?

— Pour ce raté... Non, tu te fichais de lui... J'aurais dû comprendre. La compassion n'a jamais arrêté le bras d'Artémis Entreri ! C'était de l'orgueil. Un orgueil bien mal placé, mon cher ! Tu as refusé de frapper une vermine, et tu en paies le prix en déclenchant une guerre que tu ne gagneras pas. Imbécile !

— Que je ne gagnerai pas ? Voilà une prédiction bien dangereuse... (Il soutint le regard du vieillard.) Dis-moi, pasha Basadoni, qui aimerais-tu voir gagner ?

— La fierté ! Rien d'autre... Mais peu importe. Ta véritable question, la voilà : comptes-tu encore pour moi ? Naturellement ! Je me souviens de ton ascension comme si c'était hier. Comme tout père évoque avec fierté les prouesses de son fils... Je ne souhaite pas que tu pâtisses de cette guerre. Mais comprends que je ne pourrai pas enrayer le mécanisme enclenché par vos actes, à Kadran et à toi. Votre orgueil vous perdra tous les deux ! Tu ne gagneras pas.

— Certaines choses t'échappent.
— Ça suffit. Les autres guildes ne t'aideront pas. Tu t'es passé la corde au cou.
— Parce que tu prétends toutes les connaître ?
— Oui, même les misérables rats-garous...
Une certaine tristesse perçait sous le ton assuré du vieillard. Peut-être n'était-il pas aussi bien informé qu'il le prétendait.
Les véritables chefs de la guilde Basadoni, c'étaient ses lieutenants, après tout.
— Je te le redis, par loyauté, ou par gratitude pour notre passé commun, conclut Entreri. Tu ne sais pas tout. Et tes lieutenants ne gagneront pas.
— Tu as toujours été l'assurance faite homme, ricana le pasha.
— Non sans raison.
Entreri repassa derrière le paravent et franchit le portail dimensionnel.

— Vous avez activé toutes les défenses possibles ? s'enquit Basadoni, inquiet.
Le vieillard connaissait assez Entreri pour ne pas prendre ses avertissements à la légère.
Le tueur disparu, Basadoni avait aussitôt convoqué ses lieutenants. Passant sous silence la visite de son ancien protégé, il voulait s'assurer que toutes les précautions étaient prises.
Le dénouement était proche. Il le pressentait.
Sharlotta, La Main et Gordeon acquiescèrent. Non sans une pointe de condescendance.
— L'attaque est pour cette nuit, déclara le vieillard. Je sens qu'on nous observe.
— Bien sûr, pasha, susurra Sharlotta, l'embrassant sur le front.
Il ricana.
Au même instant, des cris retentirent.
— Nos caves sont attaquées ! s'époumona un garde. Ça vient des égouts !
— La guilde des rats-garous ? s'écria Kadran Gordeon. Domo Quillilo nous avait assurés qu'il ne...

— Il désavoue donc Entreri, coupa Basadoni.
— Entreri n'est pas venu seul..., déduisit Kadran.
— Et il ne mourra pas seul, conclut Sharlotta. Dommage.
Kadran sortit son épée. Au prix d'un violent effort, Basadoni s'assit dans son lit pour le prendre par un bras.
— Entreri ne restera pas avec ses alliés. Il viendra pour vous...
— Je l'attendrai de pied ferme, gronda Kadran. La Main, à toi le commandement de nos forces ! Ensuite, je vous montrerai la tête d'Entreri, ainsi qu'à tous ceux qui furent assez stupides pour l'avoir suivi !
La Main quittait la chambre quand un garde surexcité le bouscula.
— Des *kobolds !* cria l'homme terrifié.
— Allons ! s'insurgea La Main. Il n'y a pas de quoi hurler à la mort ! Ces vermines seront bien reçues !
Forte de deux cents soldats et de deux sorciers, la guilde avait toutes les chances de son côté. Même si les kobolds arrivaient par milliers.
Les lieutenants se regardèrent puis sourirent.
Le pasha était loin de crier victoire. Il connaissait Entreri.
Ces envahisseurs étaient le début du cauchemar.

Les kobolds menaient effectivement l'assaut. Honorant le marché passé avec Entreri, les rats-garous restaient dans leurs égouts. En sus de ses quarante compagnons, Jarlaxle avait ramené de Menzoberranzan trois cents petites créatures malodorantes.
Envahissant les niveaux inférieurs de la résidence, elles déclenchaient les pièges mécaniques et magiques, dégageant ainsi le terrain.
Silencieux comme la mort, les Drows suivaient.
Kimmuriel Obladra, Jarlaxle et Entreri remontèrent un couloir. Des arbalétriers les accompagnaient. Les pointes de leurs carreaux étaient enduites de poison.
Trois archers surgirent. Une volée de carreaux les abattit.
Une explosion fit reculer les kobolds.

— Ce n'était pas une déflagration magique, souffla Kimmuriel.

Il ouvrit un portail dimensionnel sur le lieu de l'explosion. Entreri et Obladra repérèrent des artificiers, qui se réfugièrent derrière une barricade.

— Des Drows ! cria l'un d'eux, tendant un bras vers le portail dimensionnel.

— Allume la mèche ! cria un autre.

Un troisième leva sa torche.

Kimmuriel s'empara de l'esprit puis stimula l'énergie assoupie contenue dans le baril de poudre. Avant que les humains puissent réagir, il leur explosa à la figure.

Après cette victoire, les elfes noirs renversèrent tous les obstacles sur leur passage. Jarlaxle avait emmené avec lui ses meilleurs éléments : des renégats et des parias, jadis membres de nobles familles. Depuis des décennies voire des siècles, ils s'entraînaient pour lutter au corps à corps dans des espaces exigus.

Sur un champ de bataille, des chevaliers secondés par des sorciers auraient constitué une menace pour des elfes noirs.

Les petites frappes de la guilde n'avaient aucune chance contre les Drows. Quasiment privés de magie, ces crétins n'avaient aucune idée de ce qui les attendait...

Les hommes de Basadoni furent vite contraints de battre en retraite jusque dans la résidence.

Jarlaxle rejoignit Rai'gy Bondalek et leurs guerriers dans la rue.

— Les humains avaient deux sorciers, expliqua Bondalek. J'ai invoqué un globe de silence et...

— Dites-moi que vous ne les avez pas tués ! s'écria Jarlaxle.

— Nous voulions les endormir. Mais l'un d'eux s'était prémuni contre les armes de jet. Il a fallu l'éliminer.

— Tant pis. Finissez votre travail, Rai'gy. J'emmène Entreri avec moi, à l'étage.

— Et Kimmuriel ? demanda Rai'gy d'un ton bourru.

Au courant de leur petit secret, Jarlaxle réprima un sourire.

— Allons-y, Entreri, dit-il simplement.

Ils croisèrent un autre groupe d'humains armés jusqu'aux dents. Jarlaxle les *englua* par magie.

Voyant une ombre suspecte s'allonger sur un mur, Entreri visa avec soin.

Se tenant la hanche droite, La Main entra en titubant dans la salle principale.

Kadran Gordeon écarquilla les yeux.

— Des elfes noirs ! souffla le blessé. Entreri... Ce salaud a amené des... Drows !

La Main s'effondra, endormi pour le compte.

Gordeon traversa l'étage à la course et gravit un escalier.

Certains espions ne perdaient rien de ses gestes...

— C'est lui ? demanda Jarlaxle.

Entreri acquiesça.

— Je le tuerai, promit-il.

Le Drow le prit par une épaule.

— Aimerais-tu le voir humilié ?

Avant qu'Entreri réponde, Kimmuriel approcha.

— Joignez-vous à moi.

Il tendit une main vers le front de l'humain.

Qui recula aussitôt, sur la défensive.

Kimmuriel voulut s'expliquer, mais Entreri possédait la *base* du langage des signes. Ses subtilités lui échappaient encore. Les explications de Kimmuriel ressemblaient plus à un dialogue entre amants qu'autre chose !

Frustré, Kimmuriel s'adressa à Jarlaxle, parlant si vite qu'Entreri eut l'impression d'entendre un seul mot étiré à l'infini.

— Il a une astuce à ton service, Artémis, traduisit le mercenaire. Il désire s'introduire dans tes pensées pour ériger une barrière kinétique et te montrer comment la maintenir.

— Une barrière kinétique ? répéta le tueur.

— Fais-lui confiance. Kimmuriel Obladra est un grand maître. Il est un des rares à maîtriser la magie de l'esprit au point de pouvoir insuffler à autrui un peu de ses pouvoirs.

— Il veut m'apprendre ses trucs ? s'écria Entreri.

La notion, tout à fait absurde, fit ricaner Kimmuriel.

— La magie de l'esprit est un don rarissime, pas un savoir susceptible d'être transmis, corrigea Jarlaxle. Il peut seulement te prêter une partie de ses pouvoirs, le temps d'humilier ton ennemi.

Entreri fronça les sourcils, méfiant.

— Nous pouvons te tuer à tout moment par des moyens plus conventionnels, lui rappela Jarlaxle.

Kimmuriel répéta son geste sans que le tueur recule, cette fois.

Entreri eut un premier aperçu de la magie de l'esprit.

Libre de toute appréhension, il monta l'escalier à la suite de sa proie.

Un archer lui tira une flèche dans le dos.

Aussitôt activée, la barrière kinétique arrêta le projectile en plein vol, puis absorba son énergie.

A entendre le fracas des combats, Sharlotta supposa que Gordeon était de retour. Elle ignorait tout de la déroute subie dans les entrailles de la résidence.

Pas question de laisser passer une si belle occasion ! Sharlotta sortit un couteau de sa manche et se dirigea vers la chambre de Basadoni.

Sa mort serait automatiquement imputée à Entreri et à ses associés.

Sur le point d'entrer, la jeune femme fut arrêtée par un claquement de porte et par des bruits de pas précipités.

Entreri avait-il déjà investi l'étage ?

L'éventualité ne dissuada pas Sharlotta. Il suffisait d'emprunter un chemin plus détourné.

Elle revint dans sa chambre et déplaça un faux livre sur une étagère de la bibliothèque, qui coulissa aussitôt.

Elle se glissa par l'accès dérobé.

Entreri rattrapa Kadran Gordeon. Celui-ci se jeta sur le tueur, épée haute, et se fendit une dizaine de fois.

En vain.

Entreri ne cherchait à parer aucun estoc. Au contraire. Il absorbait leur énergie, sentant une puissance inconnue grandir en lui.

Les yeux écarquillés, Kadran Gordeon recula.

— Quel démon es-tu ?

Il revint à l'attaque. Cette fois, Entreri dégaina l'épée de Jarlaxle et para chaque coup à la perfection.

Mais le don de Kimmuriel n'était pas éternel. L'énergie magique ne tarderait pas à se dissiper.

Quand Gordeon se fendit de nouveau, le tueur inclina sa lame, leva le bras à toute vitesse et pivota.

Dérouté, Gordeon percuta son adversaire. Ils roulèrent sur le sol.

Sharlotta leva le bras pour poignarder Basadoni.

Une silhouette sortit de l'ombre, la faisant sursauter. La jeune femme voulut lancer son couteau.

L'inconnu fut plus rapide.

Une dague entailla le poignet de Sharlotta, clouant la manche de sa tunique au mur. Deux autres se fichèrent près de sa tête.

Jarlaxle continua son petit jeu. La meurtrière en puissance fut bientôt entourée de dagues.

Gordeon entra à son tour dans la chambre, avant d'être plaqué au sol par son poursuivant. Il le frappa au visage.

Entreri absorba l'énergie du coup.

— Tu es fatigant, Kadran !

Repoussant le lieutenant de Basadoni d'une main, il relâcha toute l'énergie absorbée.

Ses doigts s'enfoncèrent dans la chair, faisant jaillir un geyser de sang. L'épiderme et la cage thoracique de Gordeon fondirent.

Terrifié, il ouvrit la bouche...

La mort l'empêcha de crier.

Entreri se releva.

D'autres Drows arrivèrent, flanqués de Kimmuriel et de Rai'gy.

Surprise en flagrant délit par Jarlaxle, Sharlotta était clouée au mur.

Le tueur se campa devant elle.

— Il semble, pasha, que je sois arrivé à point nommé. Croyant la victoire acquise, cette harpie voulait profiter de la confusion pour t'occire...

Se sachant perdue, Sharlotta ne broncha pas.

— Elle ignorait à qui elle avait vraiment affaire, dit Jarlaxle.

Entreri hocha la tête.

— Dois-je l'exécuter, Basadoni ?

— Tu me demandes mon avis, maintenant ? grogna le vieillard. Dois-je te remercier aussi d'avoir livré ma maison aux Drows ?

— J'ai fait ce qu'il fallait pour survivre. Il n'y a pas eu de bain de sang. Kadran Gordeon est mort, mais pas La Main. Pourquoi les choses devraient-elles changer ? Il y aura toujours trois lieutenants et un maître. Mon ami Jarlaxle désire être ton lieutenant. Il l'a bien mérité.

Entreri s'apprêta à tuer Sharlotta.

Mais en avisant le vieillard cloué sur son lit, ignoble caricature de l'homme qu'il avait été, il changea d'avis au dernier instant.

Au lieu d'exécuter la femme, il frappa Basadoni au cœur.

— Trois lieutenants, répéta-t-il à Sharlotta. La Main, Jarlaxle et toi.

— Entreri, vous voilà maître de la guilde ! Kadran Gordeon n'aurait pas eu votre confiance, mais vous reconnaissez que je suis plus honorable.

Avec un sourire enjôleur, Sharlotta avança vers lui.

Entreri pointa sa lame sur sa gorge.

— Honorable, *toi* ? A d'autres ! Obéis si tu veux vivre. Tu suivras mes instructions à la lettre. Sinon je te défigurerai...

— Dans une heure, nous serons venus à bout des dernières poches de résistance, assura Jarlaxle. Il ne vous restera qu'à régner.

Entreri avait espéré que ce moment lui apporterait une intense satisfaction.

Il n'en était rien.

Certes, la mort de Kadran Gordeon le comblait d'aise. Comme celle de cette vieille loque de Basadoni.

Mais quand il entendit Sharlotta susurrer :

— Vos désirs sont des ordres, mon pasha...

... Il eut des aigreurs d'estomac.

CHAPITRE XVII

EXORCISER LES DÉMONS

La position avait un certain attrait. La sensation de dominer, de contrôler la situation...

De plus, pour les clients rappelés à l'ordre, il y avait souvent plus de peur que de mal.

Wulfgar pouvait ainsi se défouler de ses frustrations sans craindre le pire.

En réfléchissant, il aurait réalisé une chose : chaque ivrogne était à ses yeux une Némésis.

La contemplation n'était pas pour Wulfgar. Entendre craquer sous ses uppercuts les côtes d'un quidam aviné suffisait à son bonheur.

Comme aujourd'hui...

L'homme tomba à la renverse. Wulfgar le souleva par le col et par l'entrejambe, lui arrachant des poignées de cheveux et de poils, et le hissa à bout de bras.

— Je viens juste de réparer cette fenêtre ! grogna Arumn Gardpeck.

— Tu n'auras qu'à recommencer ! répliqua le barbare, guère conciliant.

Arumn astiqua son comptoir avec une ardeur renouvelée. Après tout, en maintenant l'ordre, Wulfgar attirait une clientèle assidue. Les gens aimaient passer la soirée ou la nuit dans un établissement sûr. Certains venaient même admirer le spectacle... Car les prouesses du barbare avaient quelque chose de fascinant.

Le *Sabre d'Abordage* avait rarement connu pareille affluence !

— Il n'aurait pas dû faire ça, remarqua un client, près du tenancier. C'est Rossie Doone, un soldat.

— Il n'est pas en uniforme, que je sache.

— Il venait incognito voir cette brute de Wulfgar.

— Eh bien, il l'a vu..., soupira Arumn.

— Et il le reverra. Mais il ne reviendra pas seul.

Arumn soupira de plus belle. Si une ribambelle de malabars venaient se mesurer au barbare, il pouvait préparer sa bourse... A ce train-là, les frais de réparations seraient sa ruine !

Wulfgar passa la moitié de la nuit avec Delly. Puis, armé d'une bouteille, il alla sur la jetée regarder le clair de lune danser sur les vagues.

Jusqu'au lever du soleil.

La nuit suivante, Josi Puddles les vit entrer... Rossie Doone et cinq ou six types patibulaires... Ils prirent position dans un angle, chassant les clients.

— Cette nuit, c'est la pleine lune..., lâcha Josi. En ville, ça n'a pas arrêté de jaser.

— Sur la lune ? fit Arumn.

— Non... sur Wulfgar et ce Rossie de malheur. Ça va chauffer !

— Ces lascars sont à six contre un.

— Pauvres petits soldats..., ricana Josi.

Une bière à la main, Wulfgar gardait les brutes à l'œil. Il savait ce qui se tramait.

Devant son expression glaciale, Arumn sentit un frisson lui remonter le long de l'échine.

La nuit serait longue.

A l'autre bout de la salle, à l'opposé des six fauteurs de troubles, un homme discret avait remarqué la tension naissante. Il étudiait les combattants sur le point d'entrer en lice.

Son nom était bien connu à Luskan.

Son apparence, beaucoup moins.

Si sa profession exigeait qu'il vive dans l'ombre, sa réputation faisait trembler les brutes les plus épaisses.

Morik le Rogue avait beaucoup entendu parler du nouveau bras droit d'Arumn Gardpeck.

Trop.

On n'arrêtait plus de jacasser sur les prouesses du barbare. Morik en avait les oreilles qui chauffaient...

Wulfgar, l'homme capable d'encaisser sans broncher des coups de gourdin !

De soulever deux trublions, de leur heurter le crâne et de les jeter à l'autre bout de la salle !

De foutre à la rue les soûlards, puis de bondir s'interposer devant un attelage au galop pour empêcher que les chevaux les écrasent !

Morik était un enfant des rues. On ne la lui faisait pas. Chacun rajoutant son grain de sel au passage, les histoires avaient une fâcheuse tendance à gonfler davantage qu'un fleuve en crue...

Néanmoins, quand on voyait le personnage en chair et en os, il fallait bien avouer qu'il impressionnait...

Rossie Doone, un soldat digne de respect, avait des coupures au visage et aux bras. Il ne se les était pas faites tout seul.

La rixe promettait d'être mémorable. Morik allait voir en action le Nordique des toundras.

Sirotant son vin, il attendait.

Dès que Delly approcha des six hommes, Wulfgar vida sa bière cul sec.

Ça ne rata pas. L'un des types pinça les fesses de la belle.

Wulfgar bondit et vint se camper devant les rustres.

Plastronnant au milieu de ses camarades, Rossie ricana.

— On va s'amuser, gronda Wulfgar. Ensuite, tu panseras tes plaies. Et tu moucheras ta fierté !

La pique fit se rembrunir Rossie.

— On vient de réparer la fenêtre, ajouta le fils de Beornegar. Préfères-tu ressortir par la porte ou non ?

— Ce serait à toi de vider les lieux, fier-à-bras ! dit un autre soldat.

— Partez ! Ou vous le regretterez.

Un des hommes se leva et s'étira.

— Je vais chercher à boire...

Une tactique classique... Mais le barbare n'était pas né de la dernière pluie.

Au moment où l'individu allait passer devant lui, croyant pouvoir le surprendre, Wulfgar le devança ; il lui écrasa le nez d'un coup de tête.

Puis il cueillit Rossie d'un direct au menton à l'instant où il bondissait. Il se fit un bouclier de son corps, déviant les premières attaques.

Il lâcha Rossie et affronta les quatre types encore debout.

Les coups de poing volèrent.

Wulfgar les encaissa, les rendant au centuple.

Quand la mêlée tira à sa fin, Rossie, revenu aux affaires, et Wulfgar restèrent face à face. Les soldats étaient en piteux état. L'un avait un genou cassé et un œil au beurre noir, le deuxième rampait, l'air perdu, le troisième, le crâne en sang, s'obstinait à vouloir se relever. Le quatrième, victime d'un direct magistral, ne bougeait plus.

— Dégage le plancher avec tes amis, fit Wulfgar sur un ton las. Et n'y reviens pas.

Pour toute réponse, Rossie tira un couteau de sa botte.

— Pas avant de m'être bien amusé, l'ami...

— Wulfgar ! cria Delly, réfugiée derrière le comptoir.

Les deux adversaires se tournèrent vers la jeune femme... qui lança Aegis-fang. Son propriétaire tendit le bras.

Le marteau disparut et réapparut entre ses mains.

— Moi aussi, je vais m'amuser..., répondit Wulfgar à Rossie.

Il lança son arme derrière lui. Elle revint d'elle-même entre ses mains.

Après avoir fait éclater d'autres tables.

Arumn grogna, écœuré.

Horrifié, Rossie ne voulait plus qu'une chose : fuir.

La porte d'entrée s'ouvrit à la volée.

Un géant apparut. Il dépassait Wulfgar d'une bonne tête et faisait presque sa carrure. Et il devait peser le double de son poids...

Six cents livres de *muscles*.

Un silence de mort tomba.

Le géant brandit une chaîne dans une main et une masse d'armes dans l'autre.

— Serais-tu trop fatigué pour m'affronter, Wulfgar le mort ? cracha Casse-Trois-Blocs.

D'un coup de chaîne, il fracassa la table la plus proche. Les trois clients qui étaient autour n'osèrent plus remuer un cil.

Wulfgar lança Aegis-fang et le rattrapa par le manche.

Arumn Gardpeck gémit. Voilà une nuit qui lui coûterait fort cher !

Morik le Rogue prit une autre gorgée de vin.

C'était le combat qu'il attendait !

Trois-Blocs bondit sur Wulfgar.

A la surprise générale, ce dernier lâcha Aegis-fang et s'accroupit pour éviter le premier coup. Les bras tendus à la verticale, il saisit la chaîne au vol, tira et fit basculer son adversaire sur ses épaules au moment où il se relevait.

Le barbare supportait le poids d'un colosse deux fois plus lourd que lui ! Pliant les jambes, il le hissa au-dessus de sa tête !

Toute la salle hoqueta de stupeur.

Rugissant, Wulfgar courut vers l'entrée et jeta son agresseur sur un tas de bois.

Le colosse se dégagea, beuglant de rage.

— Va-t'en ! avertit Wulfgar pour la dernière fois.

Masse d'armes au poing, Trois-Blocs fonça derechef.

Mal lui en prit : il tomba raide mort, le torse défoncé.

Wulfgar avait utilisé Aegis-fang.

Un coup trop violent pour que Trois-Blocs en réchappe...

Depuis des mois que Wulfgar était au service d'Arumn Gardpeck, Casse-Trois-Blocs était le premier homme qu'il tuait.

Tous les témoins furent muets de stupeur.

Aegis-fang au poing, Wulfgar revint au comptoir.

— Tu devras remplacer la porte d'entrée, Arumn, et vite, avant qu'un vaurien vienne voler tes stocks d'alcool.

Comme si rien n'était, le barbare traversa la salle dans un silence de mort.

— Un beau guerrier que vous avez là, maître Gardpeck, lâcha un homme encapuchonné.

Reconnaissant la voix, l'aubergiste sentit sa nuque se hérisser.

— Et la rue Demi-Lune se portera bien mieux sans cette brute pour terrifier les braves gens, ajouta l'homme. Ce n'est pas moi qui pleurerais sur son sort. Il ne l'a pas volé.

— Je ne veux chercher noise à personne, se défendit Arumn. Ni à Trois-Blocs ni à vous.

— Vous n'avez rien à craindre de ma part, assura Morik le Rogue.

Alerté par le dialogue, Wulfgar était revenu sur ses pas.

Josi Puddles et Delly s'approchèrent à distance respectable.

— Beau combat, Wulfgar, fils de Beornegar, lança Morik, poussant un gobelet de vin vers le barbare...

... Qui regarda l'alcool et l'homme d'un air également suspicieux.

Comment ce type connaissait-il son nom ? Une identité qu'il n'avait jamais déclinée à Luskan !

Morik salua l'aubergiste d'un signe et quitta le *Sabre d'Abordage*.

Wulfgar le regarda partir, intrigué. L'inconnu avait la démarche caractéristique d'un guerrier.

— Morik le Rogue..., lâcha Josi Puddles.

Delly prit le gobelet que Morik avait offert.

— Voilà qui foudroierait sûrement un minotaure...

Elle alla le vider dans une bassine d'eaux usées.

Après cette nuit, la réputation déjà enviable de Wulfgar monta encore en flèche. Ne venait-il pas de flanquer une déculottée à Rossie Doone et à sa clique ? Avant d'étaler pour le compte la terreur du quartier ?

Une telle gloire n'allait pas sans revers... Quand on était dans le collimateur de Morik le Rogue, on avait intérêt à numéroter ses abattis.

Peut-être l'homme était-il sincère et laisserait-il le *Sabre d'Abordage* en paix ?

Rien n'était moins sûr.

Taciturne, Wulfgar continua de veiller au grain. Rossie Doone et ses voyous d'amis choisirent de rester à l'auberge, noyant leur déconfiture dans l'alcool.

Sa tâche achevée, Wulfgar se retira avec deux bouteilles de liqueur... et Delly.

Puis, comme de coutume, il sortit et alla sur la jetée regarder la lune briller sur l'onde.

Le secret de la vie ?

Profiter de l'instant, se ficher du futur comme de sa première sandalette et oublier le passé.

CHAPITRE XVIII

À PROPOS DE DÉMONS, DE PRÊTRES ET D'UNE GRANDE QUÊTE

— Votre réputation vous précède ! lança le capitaine Vaines à Drizzt.

A la proue du vaisseau, le Drow et ses compagnons regardaient la Porte de Baldur, la cité portuaire équidistante d'Eau Profonde et de Calimport.

De hautes structures entouraient des docks à l'étendue impressionnante. Les entrepôts jouxtaient des édifices munis de guérites d'observation.

— Mon matelot n'a eu aucune peine à vous obtenir un passage sur le fleuve, continua Vaines.

— Et pourtant, il faut être idiot pour embarquer un Drow, lâcha Bruenor.

— Et encore plus un nain ! riposta Drizzt.

— Il s'agit d'un équipage nain, précisément, dit Vaines. (Drizzt grommela ; Bruenor gloussa.) Le capitaine Bumpo Tonnerrepuncher est aux commandes, secondé par son frère Donat, et leurs deux cousins germains.

— Vous les connaissez bien, remarqua Catti-Brie.

— Qui fait la connaissance de Bumpo fait celle de son équipage. Quatre numéros difficiles à oublier ! soupira Vaines. Ils connaissent sur le bout des doigts la saga de Bruenor Battlehammer et sa reconquête de Mithril Hall. Sans parler de l'elfe noir qui partage ses aventures.

— Je parie que tu n'imaginais pas devenir un héros pour des nains ! ricana Bruenor.

— Et je parie que je m'en serais bien passé ! répliqua Drizzt.

On tira la passerelle. Le capitaine tendit la main à ses passagers.

— Adieu et bon vent ! A votre retour à la Porte de Baldur, si je suis dans les parages, peut-être ferons-nous ensemble le trajet du retour ?

— Peut-être, répondit Régis, courtois.

A l'instar de ses amis, il savait une chose : une fois Crenshinibon éliminé, Cadderly téléporterait ses amis à Luskan, leur épargnant des semaines de voyage.

Les compagnons traversèrent la ville sans encombre. Si des regards intrigués se posèrent sur l'elfe noir, il n'y eut pas de manifestation hostile.

Voilà qui le changeait de ses premières incursions à la Porte de Baldur !

Catti-Brie lui en fit la remarque.

— J'ai toujours désiré me promener librement le long de la Côte des Epées, avoua Drizzt. Nos aventures aux côtés de Deudermont m'ont finalement valu ce privilège. Ma réputation fait oublier mon héritage.

— Et tu penses que c'est une bonne chose ? demanda la jeune femme, toujours sagace.

— Je l'ignore. En tout cas, marcher sans être persécuté fait un bien fou.

— Mais avoir tant lutté pour gagner ce privilège t'attriste, pas vrai ? Moi qui suis née humaine, je n'ai jamais eu à mériter ce droit. Idem pour Régis et Bruenor, un petit homme et un nain... qui vont où bon leur semble.

— Je ne vous le reproche pas. Mais tu vois ces regards ?

Dans la rue qu'ils remontaient, beaucoup de passants fixaient l'elfe noir, certains avec admiration, d'autres avec incrédulité.

— Tu es libre sans l'être vraiment, comprit Catti-Brie.

Partout où il irait, Drizzt resterait un objet de curiosité. C'était préférable à la haine et aux préjugés, certainement...

Mais les barreaux étaient les mêmes.

— Bah ! Cesse de t'occuper des autres ! s'insurgea Bruenor. Laisse-les à leur stupidité !

— Ceux qui te connaissent savent à quoi s'en tenir, renchérit Régis.

Drizzt prit la chose avec le sourire.

Depuis beau temps, il n'avait plus l'espoir de s'intégrer au monde de la surface. La réputation amplement méritée de ses semblables en matière de cruauté et de perfidie lui couperait toujours l'herbe sous les pieds. Il avait appris à s'en consoler auprès de ses compagnons.

Avec Catti-Brie, Bruenor et Régis, que lui importaient la haine ou la curiosité ?

Son sourire était sincère.

Il manquait Wulfgar à l'appel pour que tout soit parfait.

Au bout d'une route longue et périlleuse, retrouver cet ami-là serait la cerise sur le gâteau.

Flanqué de Jarlaxle, Rai'gy se frotta les mains. Une petite créature apparut au centre du cercle magique qu'il venait de tracer. Le prêtre-sorcier connaissait Gromph Baenre de réputation. Malgré l'insistance de Jarlaxle à présenter l'archimage comme un allié fiable, son appartenance à la dynastie régnante inquiétait beaucoup Rai'gy. Le nom communiqué par Gromph était celui d'une entité mineure, aisément contrôlable.

Mais Bondalek ne voulait prendre aucun risque.

Ravi, il constata qu'il s'agissait bien d'un petit démon. Un prêtre-sorcier de sa valeur n'aurait aucun mal à le plier à sa volonté.

— Qui m'appelle ? demanda la créature dans la langue gutturale des Abysses. (Le démon continua en drow.) Vous ne devriez pas déranger Druzil, vils elfes noirs ! Il sert un maître puissant ! Vous vous en mordrez les doigts !

— Silence ! ordonna Rai'gy.

— Pourquoi protestes-tu, Druzil ? s'enquit Jarlaxle. Les êtres de ton espèce ne désirent-ils pas accéder au monde de la surface ?

Druzil prit une pose méditative pour cacher son appréhension.

— Il est vrai que tu as récemment été convoqué par des ennemis. Cadderly de Caradoon...

Druzil siffla de colère. Les Drows sourirent.

Gromph Baenre ne leur avait pas menti.

— Nous voudrions punir Cadderly, expliqua Jarlaxle. Druzil aimerait-il nous aider ?

— Dites-moi seulement comment !

— Nous devons tout savoir sur cet humain. On nous a assurés que Druzil était le démon à contacter...

— Druzil hait cet homme ! Mais... ensuite, vous me relâcherez.

Les Drows avaient prévu sa réaction.

— Je n'ai pas de familier, dit Rai'gy. Un démon me serait très utile.

Les yeux noirs de Druzil lancèrent des éclairs.

— Ensemble, nous ferons souffrir Cadderly et beaucoup d'autres humains !

— Druzil est d'accord ? demanda Jarlaxle.

— Druzil a-t-il le choix ? répliqua la créature, sarcastique.

— Pour ce qui est de servir Rai'gy, oui, répondit le mercenaire à la surprise générale. Quant à tout dévoiler sur Cadderly, non. S'il faut te torturer cent ans d'affilée, nous n'hésiterons pas.

— Dans cent ans, l'humain sera un petit tas de poussière..., souligna Druzil.

— Il me restera le plaisir de contempler tes souffrances, répliqua Jarlaxle.

Le démon connaissait assez les elfes noirs pour comprendre que ce n'étaient pas de vaines menaces.

— Druzil veut la perte de Cadderly, admit-il.

— Alors nous t'écoutons, conclut Jarlaxle.

Plus tard, tandis que Rai'gy et Druzil se liaient dans une pièce souterraine de la maison Basadoni, Jarlaxle réfléchit. Le démon lui avait beaucoup appris. Au point que le mercenaire n'avait nulle envie d'approcher de

Cadderly Bonaduce. Maître d'une magie supérieure, l'humain serait trop difficile à abattre.

Cadderly avait fondé un nouvel ordre, s'entourant d'acolytes tous plus enthousiastes et plus idéalistes les uns que les autres.

— Ce sont les pires ! lança Jarlaxle quand Entreri le rejoignit. Les idéalistes... Je les hais plus que tous les autres réunis !

— Un ramassis d'imbéciles heureux, renchérit le tueur.

— Des fanatiques imprévisibles ! Ils ignorent la peur dès qu'ils s'imaginent suivre les diktats de leurs divinités ! Mais que cela ne te trouble pas. Tu as beaucoup mieux à faire, Artémis...

Jarlaxle suivit son propre conseil. Il y avait des affaires plus urgentes à régler, en effet.

Comment imaginer qu'un banal humain comme ce Cadderly pût poser tant de problèmes ?

Cela dit, Drizzt et sa clique n'étaient pas au bout de leurs peines. Il leur restait un long chemin avant d'atteindre la bibliothèque...

— Quel plaisir et quel enchantement d'être présenté à vous, Majesté !

Bumpo Tonnerrepuncher, un nain rond comme une barrique, était affublé d'une barbe orange vif et d'un grand nez plat.

Depuis que l'*Affluent du Fond* avait levé les amarres, ça faisait bien dix fois qu'il répétait son homélie.

L'embarcation était munie de deux rangées de rames et d'un gouvernail. Bumpo et son frère Donat, plus ronds et plus volubiles l'un que l'autre, se confondaient en flatteries devant le huitième roi de Mithril Hall.

Au début, Bruenor avait honnêtement été surpris de sa notoriété, même parmi son peuple. Devant l'avalanche de compliments et de protestations d'allégeance, il perdait patience. Car il fallait aussi compter avec la flagornerie des cousins : Yipper et Quipper Fishsquisher !

A l'écart, Drizzt et Catti-Brie souriaient.

A plat ventre du côté de la proue, les doigts dans l'eau, Régis s'amusait à dessiner des figures éphémères.

Drizzt était enfin en paix.

Une fois le cristal remis à Cadderly et Wulfgar délivré de sa malédiction, pourquoi ne pas parcourir de nouveau le monde, le nez au vent et la fleur à la lance ?

Souriant, Drizzt se surprit à reprendre espoir.

A Menzoberranzan, jamais il n'aurait imaginé vivre de telles choses !

Zaknafein s'était sacrifié pour que son fils connaisse un jour une autre vie et un autre univers...

Peut-être observait-il Drizzt depuis un plan d'existence où évoluaient des êtres sages et bienveillants ?

Et peut-être souriait-il, lui aussi.

QUATRIÈME PARTIE

ROYAUMES

Palais de roi ou forteresse de guerrier, tour de sorcier ou campement de nomades, ferme ou chambre d'auberge miteuse... Nous dépensons beaucoup d'énergie à construire nos minuscules royaumes. Du plus majestueux château à l'antre le plus humble, de l'arrogance de la noblesse aux humbles aspirations de la paysannerie, nous avons tous un besoin primitif de propriété.

Il nous faut notre lopin de terre, notre place dans un monde souvent déroutant, un coin ordonné loin des incertitudes du destin.

Nous sculptons, délimitons, barricadons, verrouillons et protégeons notre espace à la pointe de l'épée ou de la fourche.

Avec l'espoir que ce sera un havre de paix et de sécurité après une vie bien remplie.

Un espoir mille fois déçu.

La paix n'est pas un lopin de terre niché derrière des barricades et des murs d'enceinte. Le roi des rois, retranché dans sa citadelle inviolable avec une armée formidable, n'est pas nécessairement un homme en paix.

Loin de là.

L'ironie, c'est que plus nous possédons, plus la sérénité nous file entre les doigts.

Au-delà des réussites matérielles rôde une autre sorte de malaise. Une colère irrépressible que chacun a ressenti, à un moment ou à un autre de sa vie.

Sa source est une indicible frustration.

La véritable liberté n'est pas un lieu. Il faut la chercher en soi.

Bruenor s'est forgé son royaume à Mithril Hall. Il n'y a trouvé aucune paix.

Au point qu'il a préféré retourner au Val Bise, un lieu désolé où il se sentait chez lui et où il cherchait avant tout des souvenirs.

Wulfgar aussi a dû se dénicher un havre de paix entre deux tempêtes. Une taverne à Luskan, une grotte de l'Epine Dorsale du Monde...

A Menzoberranzan, je me souviens des petits royaumes que nous chérissons. Des maisons puissantes bardées de protections inutiles.

En Ombre-Terre, j'ai cherché où bâtir ma niche. Dans la grotte où je vivais, j'avais Guenhwyvar pour unique confident, car je partageais les lieux avec des champignons.

Je me suis aventuré à Blingdenstone, la cité des gnomes des profondeurs. J'aurais pu y rester... N'était que ma présence, si près de Menzoberranzan, eût valu la ruine et la mort à ceux qui m'acceptaient en leur sein.

J'ai dû m'exiler jusqu'au monde de la surface, où Montolio deBrouchee m'accueillit dans son domaine. Ce fut peut-être la première fois que je goûtais un semblant de paix.

Mais il me fallut admettre que là n'était pas ma maison. A la mort de Montolio, plus rien ne m'y retenait.

Alors, je découvris mon foyer là où il n'avait jamais cessé d'être : en moi-même.

Au Val Bise, en rencontrant Catti-Brie, Bruenor et Régis, je le réalisai enfin.

Et une sérénité authentique m'envahit.

Le royaume du cœur et de l'âme, protégé par l'amour, l'amitié et la chaleur des souvenirs...

Plus précieux et plus imprenable que n'importe quel château fort !

Puisse Wulfgar s'affranchir des ténèbres et trouver la même paix.

Drizzt Do'Urden

CHAPITRE XIX

À PROPOS DE WULFGAR

Delly resserra les pans de son manteau pour dissimuler ses courbes féminines. Elle filait Morik le Rogue.

Il tourna un autre coin de rue.

Elle se hâta...

... et le découvrit campé devant elle, couteau au poing.

— De grâce, maître Morik, ne me tuez pas ! Je voulais juste vous parler !

— Morik ?

Le capuchon de l'individu glissa, dévoilant sa peau noire.

— Oh ! Veuillez m'excuser, seigneur... Je vous ai pris pour un autre.

Delly fit volte-face et courut en direction du *Sabre d'Abordage*.

Le danger passé, elle se calma et réfléchit. Depuis le duel contre Trois-Blocs, les gens croyaient voir Morik le Rogue partout.

Delly soupira, laissant son manteau flotter.

— Tu fais encore commerce de tes charmes, Delly Curtie ?

La jeune femme écarquilla les yeux. La gorge nouée, elle mesura combien il était stupide de courir après un tueur comme Morik...

D'un coup d'œil, elle mesura la distance qui la séparait encore de l'auberge. Parviendrait-elle à s'y engouffrer avant d'être poignardée dans le dos ?

— Tu me cherchais, n'est-ce pas ?

— Pas du tout !

— Tu m'as même questionné, *moi*, à propos de Morik le Rogue ! (Sa voix changea.) Alors, ma p'tite dame, que voulez-vous à ce méchant lanceur de couteau ?

Sidérée, Delly reconnut les accents d'une vieille femme qu'elle avait interrogée récemment.

Morik, maître dans l'art du déguisement...

Des mois plus tôt, Delly l'avait eu comme client. Chaque fois, il était revenu vers elle avec un comportement, une démarche et des tics différents... Même sa façon de faire l'amour changeait continuellement !

Depuis des années, des rumeurs circulaient... Morik était en fait plusieurs personnes qui se faisaient appeler du même nom pour mieux entretenir le mystère.

Delly avait jugé ces ragots sans intérêt.

A présent... Elle n'était plus sûre de rien.

— Eh bien, tu m'as trouvé ! lança Morik.

La jeune femme ne sut quelle contenance adopter.

L'impatience de son interlocuteur la fit bafouiller.

— Je veux... que tu laisses Wulfgar tranquille ! Trois-Blocs a eu ce qu'il méritait, ni plus ni moins.

— Que m'importe le sort de cette brute ! La rue Demi-Lune est bien débarrassée d'un fléau...

— Alors, tu ne cherches pas à le venger ? Pourtant, on dit que tu veux prouver...

— Je n'ai rien à prouver.

— Et Wulfgar ?

Morik haussa les épaules.

— Serais-tu amoureuse de cet homme, Delly Curtie ?

La jeune femme s'empourpra.

— Je parle aussi pour Arumn Gardpeck ! Wulfgar est un atout pour le *Sabre d'Abordage*. Par ailleurs, il ne fait d'ombre à personne.

— Ah... Tu *es* amoureuse ! Moi qui te croyais la maîtresse de tous et l'amante d'aucun... (Delly rougit de plus belle.) En ce cas, par égard envers tes autres soupirants, je devrais le tuer. Une perle comme Delly Curtie ne se monopolise pas !

— Je ne suis pas amoureuse. Je te demande simplement de ne pas le tuer.

— Pas amoureuse ? ricana l'homme.

Delly secoua la tête.

— Prouve-le.

D'une main arrogante, il délaça le col de sa robe.

Non sans hésiter, elle céda.

Pour Wulfgar...

Plus tard, dans la chambre qu'il avait louée, Morik le Rogue réfléchit. Delly était repartie. Se jeter dans les bras du barbare, sans doute.

Morik fumait une pipe, inhalant avec plaisir le tabac épicé.

Resté un an sans la revoir, il avait oublié combien Delly Curtie était douée dans son genre...

Surtout que la passe ne lui avait rien coûté, cette fois.

Si Morik tenait Wulfgar à l'œil, il ne comptait pas l'attaquer. L'exemple de Trois-Blocs confortait sa prudence.

Néanmoins, il aurait un long entretien avec Gardpeck.

Tant que l'aubergiste garderait le barbare à sa place, il n'aurait pas besoin de le tuer.

Delly quitta l'auberge. La tête lui tournait.

Dans la rue, elle s'arrêta, désorientée. Que lui arrivait-il ?

Une seconde plus tôt, elle traversait la salle de l'établissement.

La suivante, elle se retrouva dehors, à plusieurs dizaines de pas de distance !

Elle haussa les épaules. Après tout, bien des choses lui échappaient parfois.

Morik était sûrement responsable de ce moment d'absence.

Debout devant le portail dimensionnel qui avait téléporté l'humaine hors de l'auberge, Obladra faillit éclater de rire.

Camouflé dans son *piwafwi*, il se prépara à son voyage suivant.

Jarlaxle avait insisté pour qu'il ne laisse aucune trace de son passage à Luskan.

Les cadavres faisaient partie des « traces » à éviter.

Obladra devrait redoubler de subtilité. Rai'gy et lui gardaient Morik à l'œil.

Encore un humain à manipuler avec précaution !

Sa barrière kinétique en place, Obladra se téléporta dans la chambre de Morik... qui bondit, dague au poing.

Kimmuriel reçut un coup de lame dans l'abdomen. La barrière kinétique en absorba l'énergie. Après deux autres coups, tout aussi inefficaces, le Drow retrouva son aplomb et repoussa son assaillant.

— Vous ne pouvez pas me blesser ! lança-t-il dans un commun hésitant.

Les yeux écarquillés, Morik vit que l'intrus était un Drow...

Il chercha désespérément un moyen de fuir.

— Je suis venu parler, Morik, se hâta d'expliquer Kimmuriel. Pas vous tuer.

Il ne tenait pas à le poursuivre d'un bout à l'autre de la ville.

L'humain ne parut guère rassuré.

— Je vous apporte des cadeaux, ajouta l'elfe noir, lançant une boîte sur le lit. Du belaern, et des herbes importées de Yoganith. D'abord, répondez à mes questions.

— Lesquelles ? demanda le voleur, sur la défensive. Qui êtes-vous ?

— Mon maître est aussi généreux qu'impitoyable.

Kimmuriel fit léviter un siège. Puis il expulsa d'un coup l'énergie absorbée pendant l'attaque de Morik.

La chaise vola en éclats.

Perplexe, le voleur toisa le Drow.

— Un avertissement ? (Kimmuriel sourit.) Ce pauvre siège vous déplaisait tant que ça ?

— Mon maître aimerait louer vos services. Il a besoin d'espions à Luskan.

— D'espions sachant manier l'épée ?

— D'espions, c'est tout. Que savez-vous sur Wulfgar ? Vous devrez le surveiller de près.

— Wulfgar ? répéta Morik.

Voilà que les Drows venaient l'enquiquiner avec ce maudit barbare !

— Oui. Vous le tiendrez à l'œil.

— Je préférerais lui faire la peau ! S'il vous pose des problèmes...

Une lueur dangereuse brilla dans les yeux de Kimmuriel.

— Non. Kyorlin le surveille. Je reviendrai.

L'obscurité tomba sur la chambre. Redoutant un coup fourré, l'humain s'accroupit, dague brandie.

Peine perdue.

L'elfe noir s'était volatilisé.

Le globe de ténèbres dissipé, Kimmuriel était déjà à l'autre bout de Calimport.

Rai'gy et Jarlaxle, qui n'avaient rien perdu de la scène, hochèrent la tête.

Bregan D'aerthe étendait déjà son influence.

Quelle étrange nuit ! songea Morik.

Après Delly... un Drow !

Venu *aussi* lui parler de Wulfgar !

Qu'avait-il de plus que les autres pour que tout le monde n'ait plus que son nom à la bouche ?

Qui était cet homme ? Pourquoi attirait-il tant l'attention ?

Morik posa les yeux sur les débris de la chaise. Une démonstration impressionnante...

Du belaern ?

Des herbes pour bourrer sa pipe ?

Circonspect, il saisit la boîte laissée par son extraordinaire visiteur.

Stupide... Si le Drow avait voulu sa peau, il n'y serait pas allé par quatre chemins !

Jetant la prudence aux orties, il posa la boîte sur sa table de chevet et l'ouvrit.

Pour découvrir des pierres précieuses et des sachets d'herbes noires.

Morik sourit.

On le payait grassement pour accomplir une tâche qu'il avait de toute façon à son programme !

D'abord Delly Curtie...

Maintenant une petite fortune...

Décidément, ce n'était pas une mauvaise nuit.

Les jours suivants, personne ne revint défier Wulfgar.

Mais quand le calme fut de nouveau rompu, ce fut en beauté.

Après trop de mois passés en haute mer, un vaisseau fit escale à Luskan... Son équipage était résolu à prendre du bon temps.

En fracassant le plus de crânes possible !

Les marins trouvèrent Wulfgar en travers de leur chemin.

Le barbare les éjecta les uns après les autres, faisant voler les parois et les fenêtres en éclats.

Abattus, Josi et Arumn, réfugiés derrière leur comptoir, ne comptaient même plus les coups.

Ni les nouveaux frais de réparations...

Wulfgar ne ressortit pas indemne de la mêlée. Les lèvres éclatées, les jambes criblées d'éclats de bois, il devait être soigné.

Le calme revenu, Delly s'agenouilla pour panser le barbare.

Arumn soupira en la regardant.

— Prendre soin de Wulfgar... C'est devenu sa mission dans la vie...

— Et elle ne chôme pas, renchérit Josi. Rossie Doone et sa clique ont dû recommander notre établissement à ces brutes. Nous n'aurons jamais la paix.

— Et un jour, Wulfgar trouvera à qui parler. C'est écrit, fit Arumn à voix basse. En voilà un qui ne mourra pas dans son lit...

— C'est sûr. A ce régime-là, il ne fera pas de vieux os...

CHAPITRE XX

UN MÉDAILLON QUI OSCILLE

— Mon cher Domo, susurra Sharlotta Vespers, posant ses doigts effilés sur les épaules du rat-garou, ne voyez-vous pas qu'une alliance bénéficierait à tout le monde ?

— Les Basadoni envahissent mes égouts, c'est tout ce que je vois ! gronda Domo Quillilo.

Sous une apparence humaine, il gardait des caractéristiques qui ne trompaient pas. Un nez qui se plissait fréquemment, par exemple. On lui imaginait sans mal des moustaches frémissantes de rongeur...

— Où est ce vieux fou ?

Entreri allait répondre. D'un regard, Sharlotta l'en dissuada.

Trop heureux de lui laisser le champ libre, l'assassin ne se fit pas prier.

— Le « vieux fou », répondit Sharlotta, a conclu un accord avec des alliés que Domo en personne ne voudrait pas mécontenter...

Le rat-garou plissa le front. Il n'était pas « homme » à se laisser menacer sans tiquer.

— Qui ? Les kobolds puants qui grouillaient dans mon domaine ?

— Les kobolds ? (Sharlotta éclata de rire.) Vous n'y êtes pas du tout. Ces créatures sont tout juste bonnes à servir de chair à canon !

Le chef des rats-garous arpenta la pièce. Une petite révolution avait bouleversé la maison de Basadoni.

Ses espions avaient parlé de créatures puissantes, sans pouvoir préciser lesquelles.Une chose était sûre : beaucoup avaient survécu. Sharlotta et Entreri avaient dû comploter un beau coup fourré.

Ils affirmaient que le vieux chef vivait toujours.

Une information à prendre avec des pincettes.

Gordeon, en tout cas, n'avait pas survécu à l'attaque.

— Pourquoi parle-t-il au nom de Basadoni ? s'insurgea Domo, un index pointé sur le tueur sans cacher son antipathie.

En exécutant Rassiter, une figure légendaire parmi les rats-garous, Entreri ne s'était pas attiré leur amour.

— Parce que j'en ai décidé ainsi ! répliqua Artémis.

Avec un regard désapprobateur pour son nouveau maître, Sharlotta se tourna vers Domo, plus câline que jamais.

— Entreri connaît Calimport par cœur. C'est un émissaire d'élite.

— Et je devrais me fier à lui ? grogna Domo.

— Vous ne trouverez pas meilleure alliance que celle que nous vous offrons.

— Si vous n'êtes pas avec nous, vous êtes contre nous, ajouta Entreri. Vous feriez mieux de réfléchir à deux fois avant de nous déclarer la guerre.

Non sans sagesse – bien que l'envie ne lui manquât pas –, Domo s'abstint d'agacer davantage l'humain.

— Nous en reparlerons, Sharlotta. Vous, moi... et le vieux Basadoni.

Sur ces mots, le rat-garou prit congé, escorté par deux gardes.

Il avait à peine tourné le dos quand une porte secrète s'ouvrit, livrant passage à Jarlaxle.

— Laissez-nous, Sharlotta, ordonna le mercenaire d'un ton peu amène.

Il n'était visiblement pas satisfait de l'entrevue.

Mécontente, la jeune femme obtempéra.

— Vous avez très bien travaillé ! lança le Drow avant qu'elle ait quitté la pièce.

Elle hocha la tête et referma la porte derrière elle.

— Mais j'ai échoué, fit Entreri. Quel dommage...

— Ces entretiens sont primordiaux, Artémis, grinça Jarlaxle. Si nous prenons pied dans la ville sans trop inquiéter les guildes, j'aurai atteint mon premier objectif.

— Et le commerce pourra commencer entre Menzoberranzan et Calimport ! s'exclama Entreri, sarcastique. Dans le plus grand intérêt de Menzoberranzan...

— Pour le plus grand profit de Bregan D'aerthe, rectifia Jarlaxle.

— Et je devrais m'investir dans ta course à l'enrichissement ?

Jarlaxle releva la provocation.

— Dans mon groupe, certains craignent que tu n'aies aucune envie de t'investir, justement.

Rien, dans le ton qu'il employait, n'était menaçant. Mais Entreri saisit les implications de la remarque.

— Devenir le pasha le plus influent de Calimport t'indiffère, Artémis ? Des rois te rendront hommage !

— Et je bâillerai au nez de ces monarques vérolés.

— Oui... Tout t'ennuie. Les combats... Au diable ! Routine que tout cela ! Tu n'es plus motivé. Pourquoi ? La peur te ronge-t-elle ? Ou crois-tu ne rien désirer de plus ?

Entreri s'agita, mal à l'aise. Depuis longtemps, il se posait ces questions. Les entendre dans la bouche d'un autre... L'ennui le minait, en effet.

— Es-tu un lâche ? demanda Jarlaxle.

L'absurdité de la question fit rire l'humain. Il caressa l'idée de se jeter sur le Drow, toutes griffes dehors.

Il mourrait avant même de l'atteindre.

— Ou aurais-tu vu Menzoberranzan de trop près ?

C'était une grande partie du problème. Le rictus qu'Entreri ne put retenir prouva à Jarlaxle qu'il avait touché un point sensible.

— Ça t'a remis à ta place, n'est-ce pas ? continua le mercenaire. Humilié, même.

— Je ne vois pas de quoi tu parles ! cracha Artémis. C'est affolant, tant de stupidité à si grande échelle !

— Ah. Et cette « stupidité » te renvoie au vain reflet de ton existence... N'est-ce pas ? Tout ce qu'Artémis Entreri cherchait à accomplir se déroule « à grande échelle » dans la cité des Drows.

Voûté sur son siège, Entreri se tordit les mains.

Se jeter sur Jarlaxle devenait trop tentant.

— Ta vie entière n'est-elle que mensonge, Artémis ? (Le Drow porta le coup de grâce.) C'est bien ce que Drizzt Do'Urden a affirmé, pas vrai ?

La colère perça le masque impassible derrière lequel l'humain se retranchait.

Jarlaxle éclata de rire.

— Enfin, un signe de vie ! Même si c'est pour rêver de m'arracher le cœur à mains nues ! Nombre de mes compagnons estiment que tu n'en vaux pas la peine. Mais je sais à quoi m'en tenir. Nous sommes amis, toi et moi. Et plus semblables que nous le voudrions. La grandeur est à portée de main, Artémis...

— Tu dis des idioties.

— Tu dois affronter de nouveau Drizzt Do'Urden, insista Jarlaxle, afin d'être enfin en paix avec toi-même.

— Je l'ai combattu trop de fois ! s'emporta le tueur. Je ne veux plus jamais le revoir !

— Tu peux t'en persuader. Mais tu mens, et tu le sais. A deux reprises, Drizzt et toi vous êtes affrontés à la loyale. A deux reprises, tu as dû t'avouer vaincu.

— Dans les égouts, je le tenais ! Si ses amis n'avaient pas accouru à la rescousse...

— Et à Mithril Hall ?

— Là encore, je le tenais...

— Tu t'en es sincèrement persuadé. Voilà pourquoi tu restes prisonnier du passé. Tu m'as raconté ce duel en détail. J'ai même assisté de loin à certaines passes d'armes. Nous savons pertinemment que l'issue de l'affrontement n'avait rien de certain. C'est cette incertitude qui te mine. Rongé par le doute, tu ne vois plus ce qui est à portée de ta main, que ce soit la gloire ou le plaisir...

Chez Entreri, la colère s'effaça devant la perplexité.

— Sois honnête avec toi-même, Artémis. Admets ce que tu désires vraiment, au fond de ton cœur. Pour ce qui est d'étendre ma main mise sur Calimport, ta collaboration n'est plus nécessaire. Sharlotta sera une façade parfaite. Ma position est désormais assurée. Néanmoins, mes ambitions ne se limitent pas à ça. Artémis Entreri dirigera cette section de Bregan D'aerthe. Je parle du véritable Entreri, bien sûr, pas de la coquille vide qui me fait face... Tes échecs contre Drizzt te font oublier l'essentiel : les dons qui t'élèvent au-dessus des autres.

— Les dons..., répéta l'humain, sceptique.

— Il reste l'entrevue la plus importante de toutes, avec le chef des Rakers, les émissaires du pasha Wroning, Quentin Bodeau et Dwahvel Tiggerwillies. Montre-toi à la hauteur et je te livrerai Do'Urden.

— Ils exigeront de voir le pasha Basadoni.

— N'as-tu pas le masque du déguisement ?

Le masque du déguisement... ? Entreri comprit soudain de quoi parlait le Drow : un masque magique, subtilisé à Catti-Brie. Il l'avait employé pour prendre l'apparence de Gromph Baenre avant de fuir la cité des Drows.

— Je ne l'ai plus.

— Dommage... Mais ce sera facilement arrangé.

Avec une révérence pleine de panache, le Drow quitta la pièce, laissant Entreri à ses réflexions.

Après avoir fui Menzoberranzan, le tueur s'était juré d'oublier Do'Urden. Avec de la chance, il ne le reverrait jamais...

Jarlaxle avait raison : le prix d'excellence, entre Drizzt et lui, restait à attribuer. Le destin avait voulu que leurs chemins se croisent, les poussant à s'affronter, parfois même à unir leurs talents contre un ennemi commun.

Pour ce qui était des styles de combat et du génie, ils étaient pratiquement jumeaux.

En fin de compte, lequel des deux l'emporterait ?

Le tueur soupira à cœur fendre. Il sortit de sa poche le médaillon de Catti-Brie.

Un artefact qui le conduirait jusqu'à Do'Urden.

A maintes reprises, Artémis avait étudié l'objet, cherchant à imaginer ce que faisait Drizzt, quels nouveaux ennemis il affrontait...

Pour la première fois, il songeait sérieusement à utiliser les propriétés magiques du médaillon.

Jarlaxle se félicitait de la façon dont il avait manipulé Entreri. L'énergie dépensée à traquer Drizzt Do'Urden allait enfin porter ses fruits !

Dans les appartements de Rai'gy, il retrouva le prêtre-sorcier et Kimmuriel. Il nota aussi avec plaisir la présence de Druzil.

— Prévoir et planifier, voilà la clé du succès ! lança Jarlaxle à brûle-pourpoint.

Ses associés le regardèrent, perplexes.

Le mercenaire eut un petit rire.

— Où en sont nos éclaireurs ? demanda-t-il.

Ce fut au tour des autres de ricaner. Puis Rai'gy entonna un chant ponctué de gestes précis.

Il tourna sur lui-même, faisant voleter sa tunique.

Une brume grise l'enveloppa.

Rai'gy disparut.

A sa place, un humain apparut. Vêtu d'une tunique, de braies et d'une capeline en soie bleue, il était coiffé d'un chapeau à large bord. A son cou, un pendentif en or et en porcelaine représentait une chandelle allumée, un œil ouvert enchâssé au centre.

— Salut, Jarlaxle. Je suis Cadderly Bonaduce de Caradoon, se présenta l'imposteur.

— L'imitation est parfaite ! lança Druzil d'une voix rauque. Au point que je brûle de le frapper de mon aiguillon empoisonné !

— Je doute fort que Cadderly Bonaduce de Caradoon parle le drow, ironisa Jarlaxle.

— Un simple sortilège rétablira les choses, assura Rai'gy.

Le mercenaire connaissait ce sort pour l'avoir souvent utilisé au cours de ses voyages et de ses transactions.

Et il en connaissait les limites.

— J'aurai l'apparence de Cadderly et ses manières, jubila Rai'gy, ravi de sa propre ingéniosité.

— Vraiment ?

— Je serai prudent, promit le prêtre-sorcier.

— Rien ne prouve que ça suffira, insista Jarlaxle. Aussi remarquable que soit votre déguisement, nous ne pouvons pas nous permettre le moindre faux pas.

— Si on doit approcher de Drizzt sans lui mettre la puce à l'oreille, que tenter d'autre ?

— Il nous faudrait un professionnel...

— Qui ? s'inquiéta Druzil.

— Kimmuriel, continua Jarlaxle, le métamorphe Baeltimazifas est chez les illithids. Vous allez le rejoindre.

— Les illithids exigent des sommes exorbitantes en échange de ses services ! protesta Rai'gy.

— Ce sera très cher, en effet, renchérit Kimmuriel.

— La partie implique des mises élevées, insista Jarlaxle.

— Et si les illithids nous trahissaient ? fit Rai'gy. Baeltimazifas et les flagelleurs mentaux ne respectent jamais les termes d'un accord.

— A duplicité, duplicité et demie, fit Jarlaxle. Nous serons plus malins qu'eux, voilà tout. Et Wulfgar ?

— Il est toujours à Luskan, répondit Kimmuriel. Il n'a aucune importance. D'autant qu'il n'a plus de lien avec Drizzt.

— Aucune importance ? Je n'en suis pas si sûr. Rai'gy, si vous vous présentiez sous l'apparence de Cadderly, vous resterait-il assez de pouvoir pour téléporter tout le groupe à Luskan ?

— Ni Cadderly ni moi n'en serions capables, assura Bondalek. A moins que l'humain ait des pouvoirs dont j'ignore tout. Il y a trop de gens pour un simple sort de téléportation.

— Laissons Luskan... La Porte de Baldur, en ce cas, ou un village voisin qui réponde à nos critères.

Tout se mettait en place. Le piège déclenché, Drizzt et les siens seraient séparés de l'Eclat de Cristal...

— Voilà qui promet ! gloussa Jarlaxle.

— Et ce sera juteux ? s'enquit Kimmuriel.

Le mercenaire éclata de rire.

— On dirait que vous ne me connaissez pas !

CHAPITRE XXI

BLESSURES OPPORTUNES

— Nous mouillons toujours à cet endroit, déclara Bumpo Tonnerrepuncher, tandis que l'embarcation heurtait un arbre à demi déraciné. J'évite d'emporter trop de vivres à la fois ! Mon frère et mes cousins ont tôt fait de réduire les réserves de moitié, ces ventres à pattes ! On se réapprovisionne toujours en cours de route.

Surveillant le sous-bois du coin de l'œil, Drizzt hocha la tête. Ces deux derniers jours, ils avaient cru remarquer des mouvements suspects, dans leur sillage. Régis avait même aperçu des gobelins.

D'ordinaire, ces humanoïdes n'avaient pas la patience de traquer leurs proies plus de quelques heures.

Encore l'influence de Crenshinibon...

— Combien de temps faudra-t-il pour reconstituer nos provisions ? demanda Drizzt.

— Une heure au plus, assura Bumpo.

— Vous avez une demi-heure ! décréta Bruenor. Le petit homme et moi partirons avec vous.

Il fit un signe éloquent à Drizzt et Catti-Brie. Eux se chargeraient de la reconnaissance du terrain... Et du nettoyage.

Les jeunes gens dénichèrent rapidement les traces d'une vingtaine de gobelins. Apparemment, les monstres avaient bifurqué vers l'est, anticipant le trajet du bateau le long du fleuve. Ils auraient ainsi tout loisir de monter leur embuscade...

— Ils connaissent bien les lieux, dit Bumpo, quand Catti-Brie et Drizzt vinrent au rapport. Surtout que le lit du fleuve rétrécit devant nous. Nous ne pourrons pas leur échapper.

— Dans ce cas, fourbissons nos armes et choisissons le champ de bataille, fit Bruenor.

— Notre bateau se voit de loin ! protesta Bumpo. Comment voulez-vous... ?

— Il continuera comme prévu, coupa Drizzt. Mais sans Bruenor, Catti-Brie et moi. (Il décrocha sa bourse de sa ceinture.) L'objet que contient ma bourse doit rester à bord. Veillez-y comme sur la prunelle de vos yeux !

Ils se séparèrent.

Sur les berges, Drizzt sortit sa figurine d'onyx et appela Guenhwyvar.

Les compagnons s'élancèrent sur les traces des gobelins. Filant comme une flèche, la panthère disparut dans les broussailles.

L'*Affluent du Fond* naviguait à l'ombre de frondaisons plus touffues.

Régis grommelait dans sa barbe. Tout ça ne lui disait rien qui vaille. Des gobelins devaient se tapir derrière chaque arbre, chaque buisson, chaque tertre...

La bonne humeur de l'équipage ne voulait rien dire. Avant tout engagement, quel que soit l'adversaire, les nains frétillaient de joie !

Une voix insidieuse s'infiltra dans le crâne de Régis. Séduisante... D'un mot, il ferait surgir une tour de cristal que des milliers de gobelins ne pourraient jamais prendre... Il suffisait de sortir le cristal de la bourse.

Et Crenshinibon se chargerait du reste...

Cimeterre au poing, Drizzt grimpa dans un arbre après avoir fait signe à Catti-Brie. Prenant à revers le gobelin qu'il avait repéré, il l'embrocha puis le cala en travers de la branche.

L'*Affluent du Fond* apparut.

Drizzt fit signe à ses compagnons.

Bruenor rugit.

La première flèche de Catti-Brie fit mouche.

Du buisson où venait de mourir un gobelin, trois autres jaillirent, poussant force glapissements.

Le Drow bondit, cimeterres au poing. Il eut tôt fait de les réduire au silence...

Guenhwyvar s'écrasa sur un buisson, toutes griffes dehors. Le gobelin qui s'y dissimulait n'eut pas le temps de crier.

Trop enthousiaste à fendre les crânes, Bruenor eut plus d'une fois quelque peine à récupérer sa hache...

Catti-Brie visait les monstres tapis sur les branches et les abattait avec méthode. Puis elle dégaina son épée magique, Khazid'hea.

Drizzt disparut derrière un taillis.

Terrifiés par la panthère, les deux gobelins survivants détalèrent.

Le premier réussit à fuir. Son camarade, moins fortuné, finit sous les crocs de Guenhwyvar.

Bruenor avait encore coincé sa hache dans une boîte crânienne...

— Sacrebleu ! pesta le nain, arc-bouté sur le manche de son arme. *Han !* Je devrais apprendre à frapper ces bêtes puantes plus doucement !

Il n'était pas question d'ériger une tour de cristal sur un bateau... En revanche, la berge la plus proche ferait parfaitement l'affaire.

— Ils ont des lances ! cria Bumpo Tonnerrepuncher. Aux armes !

Arbalètes au poing, ses compagnons et lui prirent position derrière une bordée. Des fentes permettaient de viser.

Régis fut tiré de sa dangereuse rêverie. Comment avait-il pu se laisser tenter ?

Les nains décochèrent leurs carreaux.

Un gobelin s'écroula.

Mais pas avant d'avoir lancé son javelot...

Régis tenta en vain d'esquiver l'arme. Elle se ficha dans son omoplate gauche et le cloua sur le pont.

Les nains le tirèrent vers eux.

— Ils ont tué le petit homme ! cria Donat.

Régis l'entendit de très loin.

Il était seul, dans le noir.

Les gobelins passèrent à l'abordage.

Fine et racée, Guenhwyvar lacéra au vol la gorge d'un monstre avant de s'écraser sur deux autres.

Catti-Brie et Drizzt se retrouvèrent nez à nez dans une clairière...

De gibiers, les monstres devinrent chasseurs : l'humaine et la Drow étaient encerclés.

— Quelle chance ! lança gaiement Catti-Brie.

Dos à dos, ils attendirent les gobelins de pied ferme.

Ces derniers tentèrent d'agir logiquement. Tous ne passèrent pas en même temps à l'attaque.

Drizzt et Catti-Brie changeaient constamment de tactique. Une simple flexion du poignet de Drizzt suffisait à trancher le fil d'une vie. Khazid'hea coupait les lances comme du beurre.

— En avant ! cria Drizzt.

Catti-Brie et lui s'élancèrent sur les créatures circonspectes, rompant sans peine leurs rangs.

Nul n'osa les poursuivre.

Bruenor dégagea enfin son arme... et tomba à la renverse, les quatre fers en l'air.

Au tranchant de sa hache restait collée une moitié de crâne et de cervelle.

— *Pouah !* C'est écœurant ! tempêta le nain.

Deux nouveaux gobelins surgirent, écourtant ses récriminations.

Bruenor frappa le premier à l'abdomen, le maculant à son tour d'os et de matière grise. Il encaissa dans le dos un coup de gourdin avant de se retourner et d'assommer son agresseur.

Il fit de nouveau volte-face au moment où le premier monstre, remis du choc, fondait sur lui. Le réexpédier au tapis fut un jeu d'enfant.

— Assez joué ! rugit Bruenor.

Il « nettoya » sa hache en la frottant à un tronc d'arbre. Si ça manquait de finesse, ce n'en était pas moins efficace.

Le gobelin se releva, avisa son camarade en piteux état, et avisa le nain à l'expression féroce...

Ne faisant ni une ni deux, il détala.

— Où galopes-tu comme ça, mon gaillard ? rugit Bruenor en lançant sa hache.

Elle se ficha dans le dos du fuyard.

Le nain courut la reprendre, impatient de rejoindre ses amis.

Cette fois, l'arme était coincée entre deux vertèbres.

— Sale bouffeur de vermines ! Troll puant ! Cervelle d'orc de malheur ! tempêta le roi du clan Battlehammer.

Tandis que ses amis repoussaient les gobelins, Donat s'efforçait de retirer la lance fichée dans l'épaule du petit homme.

Un gobelin faillit prendre pied sur le pont ; Bumpo lui abattit son arbalète sur la gueule, fracassant du même coup son arme et la mâchoire de l'ennemi.

Les cousins de Bumpo n'étaient pas moins efficaces.

Dépités, les survivants préférèrent abandonner un combat trop inégal. Sous une pluie de carreaux, ils regagnèrent la rive et disparurent dans les broussailles.

Crachant dans ses mains, Bruenor agrippa le manche de sa hache et tira.

Il partit à la renverse, et finit le cul dans la boue.

— De mieux en mieux !

Ecœuré, il se hâta de rejoindre ses frères d'armes.

La bataille avait pris fin. Drizzt et Catti-Brie étaient entourés de cadavres.

Guenhwyvar cherchait en vain d'autres proies à étriper.

Tous les gobelins, échappant à l'influence de Crenshinibon, avaient pris la fuite.

— Dis à ce stupide cristal d'attirer des monstres à la couenne plus épaisse ! ronchonna Bruenor. Es-tu certain qu'il faille s'en débarrasser, d'ailleurs ?

Souriant, Drizzt regagna le bateau à la course. Bumpo manœuvrait pour se rapprocher de la rive.

Enivrés par le combat, les trois amis allaient se congratuler quand leur regard tomba sur Régis.

Sa pâleur et son immobilité leur ôtèrent toute envie de se réjouir.

Dans une pièce obscure de Calimport, Jarlaxle et son prêtre-sorcier n'avaient rien perdu du spectacle.

— On n'aurait pas pu rêver mieux ! ricana le mercenaire. Rai'gy, trouvez un personnage humain à incarner. Un proche de Cadderly, bien sûr...

— Mais Kimmuriel est parti rejoindre Baeltimazifas ! protesta Rai'gy.

— Et vous accompagnerez le dopplegänger, dit Jarlaxle, en vous faisant passer pour un disciple de Cadderly Bonaduce. Préparez des potions de guérison.

Rai'gy écarquilla les yeux.

— Je dois prier Dame Lolth de m'accorder les moyens de sauver un petit homme ? fit-il, incrédule. Et vous croyez qu'elle accédera à ma requête ?

Serein, le mercenaire acquiesça.

— Oui, car cela fera avancer la cause de *son* Drow...

Jarlaxle avait toutes les raisons du monde de garder le sourire.

CHAPITRE XXII

UNE GRÂCE SALVATRICE

Régis se convulsait, aggravant le mal.

Bruenor refoula ses larmes et lança d'un ton bourru :

— Fais vite, Drizzt !

Le nain s'accroupit et maintint Régis en place, un genou sur son dos.

Drizzt ignorait comment s'y prendre. La pointe de la lance était dentelée. L'arracher de Régis en le transperçant une deuxième fois de part en part lui serait sans doute fatal.

— Prends la lance, suggéra Catti-Brie. Mets une main sur la plaie, l'autre à l'endroit où tu veux briser la hampe.

Elle avait épaulé Taulmaril et encoché une flèche.

Drizzt était sceptique. Mais que faire d'autre ?

Visant avec soin, Catti-Brie tira.

Un éclair aveuglant stria l'air et coupa net la hampe. La flèche s'abîma dans l'eau.

Bruenor leva doucement le blessé et le serra contre lui. Le Drow saisit le reste de la lance et tira.

Régis cria et se débattit trop pour que Drizzt ait le cœur de continuer.

— Le rubis..., suggéra Catti-Brie. Ça le distraira.

Elle sortit le pendentif de sous la tunique de Régis et eut tôt fait de l'envoûter en faisant miroiter les facettes du rubis sous ses yeux mi-clos.

Puis la jeune femme fit un signe de tête à Drizzt, qui tira de nouveau pour dégager le fer de lance.

Régis sursauta, mais ne cria plus.

Avec la pointe métallique jaillit un geyser de sang.

Drizzt et Bruenor durent faire vite pour enrayer l'hémorragie.

Remettant Régis sur le dos, ils virent que son bras se décolorait.

— Une hémorragie interne..., diagnostiqua le nain, les dents serrées. Si on ne l'arrête pas, il faudra l'amputer !

Drizzt glissa ses doigts dans la plaie afin de pincer l'artère sectionnée.

Catti-Brie continuait de distraire le petit homme avec le rubis hypnotique.

Si Régis avait pu voir l'expression du Drow, le charme eût aussitôt été rompu. Car Drizzt mesurait la gravité de son état. Il ne pouvait pas endiguer le flot de sang. La solution de Bruenor était-elle inévitable ?

— *Alors ?* fit Bruenor, n'y tenant plus.

Drizzt s'entêta. Puis il respira mieux : l'artère qu'il pressait ne semblait plus laisser passer le sang.

— C'est fini. Le sang ne coule plus.

— Pour combien de temps ? s'inquiéta Catti-Brie.

— Il faut repartir, dit Bumpo Tonnerrepuncher. Les gobelins ne sont sans doute pas très loin....

— Pas encore, dit Drizzt. Il n'est pas question de secouer Régis avant d'être sûr que la plaie ne se rouvrira pas.

Bumpo et son frère lancèrent des regards nerveux à leurs cousins. Mais l'elfe noir avait raison.

Les trois amis veillèrent sur le petit homme.

— Nerveux ? s'enquit Kimmuriel Oblodra avec une sollicitude feinte.

Jarlaxle faisait les cent pas depuis un moment.

Il s'arrêta, incrédule.

— Absurde ! Baeltimazifas a incarné le pasha Basadoni à la perfection !

C'était vrai. Le matin même, le dopplegänger avait parfaitement tenu le rôle du vieillard. Basadoni mort, ses pensées étaient inaccessibles. Ce n'était donc pas un mince exploit. Bien sûr, « il » n'avait pas eu à intervenir dans les débats. Sharlotta avait argué de sa santé chancelante. Le pasha Wroning n'y avait vu que du feu. Domo Quillilo et les autres dirigeants, plus jeunes et plus nerveux, n'avaient eu d'autre choix que de s'incliner.

— Il a dit ce que les humains désiraient entendre, affirma Kimmuriel.

— Passons à Drizzt et à ses amis ! lança Jarlaxle.

— Mais la cible, cette fois, est plus dangereuse... Plus vive et plus... drow.

Le mercenaire foudroya Obladra du regard. Puis il éclata de rire.

— Avec Drizzt Do'Urden, on s'ennuie rarement... Quelle anguille ! Toujours plus malin et plus chanceux que les pires ennemis qui puissent se concevoir ! Et regardez-le ! (Il désigna la coupe de clairevision, laissée par Rai'gy.) Il survit *et* prospère ! Matrone Baenre voulait sa tête comme trophée... Et c'est elle qui est passée de vie à trépas.

— Nous ne voulons pas sa mort, rappela Kimmuriel. Quoique...

— Pas question !

Kimmuriel Obladra dévisagea le mercenaire.

— Vous aimez bien ce paria, tout compte fait.

— Disons que je le respecte.

— Jamais il ne se joindrait à Bregan D'aerthe.

— Pas sciemment, non.

Kimmuriel évita d'insister.

Artémis entra.

Ce qu'il découvrit, dans la coupe de clairevision, lui fit écarquiller les yeux.

— Pourquoi cette surprise ? fit Jarlaxle. Je t'avais dit que je pouvais exaucer tous tes désirs.

Entreri lutta pour rester calme. Il ne voulait pas satisfaire le mercenaire en s'excitant. Le maudit avait raison !

A la surface de l'eau magique se dessinaient les traits du Drow honni.

C'était l'ultime défi à relever. Le tueur n'aurait pas de repos et ne saurait rien apprécier avant d'obtenir les réponses qu'il cherchait.

Entreri releva les yeux et acquiesça.

Jarlaxle sourit.

Régis gémit. Drizzt s'acharnait à enrayer l'hémorragie. La plaie s'était rouverte. Cette fois, il ne réussirait pas à la refermer.

— Il faut lui couper le bras, il n'y a plus rien à faire ! s'écria-t-il, couvert de sang.

Les nains frémirent.

Bruenor se leva et prit sa hache.

Régis avait sombré dans l'inconscience.

Campé sur ses jambes, Bruenor inspira à fond. Il fit jouer ses muscles, baissa lentement la hache une première fois, la releva... hésita...

— Arrêtez ! cria quelqu'un.

Tous firent volte-face et découvrirent deux hommes, qui longeaient la rive en accourant.

— Cadderly ! s'exclama Catti-Brie, ravie.

Le compagnon du prêtre sauta à bord et ausculta le blessé.

— Il est bon que près de vous nous soyons arrivés, déclara-t-il.

Un étrange commentaire, et une syntaxe bizarre.

Mais puisqu'il voyageait avec Cadderly, personne ne s'appesantit.

L'homme entonna une mélopée.

— Je vous présente mon associé, Arrabel, dit « Cadderly ». Je suis surpris de vous revoir si loin de chez vous !

— On vient pour toi ! lança Bruenor.

— Eh bien, nous voilà réunis, fit Baeltimazifas, alias Cadderly. Je vous accueillerai à bras ouverts plus tard. Pour l'heure, un de vos amis a besoin de votre aide...

— Wulfgar..., souffla Catti-Brie.

Le pseudo-prêtre hocha la tête.

— Il vous a suivis et s'est arrêté dans un hameau, à l'est de la Porte de Baldur. Le fleuve vous y conduira rapidement.

— Quel hameau ? s'enquit Bumpo.

Le dopplegänger haussa les épaules, n'ayant pas de nom à proposer.

— Quatre bâtisses derrière un tertre et un bosquet... Je n'en sais pas plus.

— On dirait Yoggerville, souffla Donat.

Bumpo acquiesça.

— Vous y serez en un jour, dit-il à Drizzt.

Le Drow lança un regard interrogateur à Cadderly.

— Lancer un sort de téléportation me prendrait le même laps de temps, affirma le pseudo-prêtre.

Régis revint à lui en gémissant. Au comble de la joie, ses amis le virent s'asseoir et s'étirer.

Sous son masque d'humanité, Rai'gy sourit, heureux que Lolth se soit montrée compréhensive.

— Le voilà en état de voyager, dit le dopplegänger. Ne perdez pas de temps ! Votre ami a vraiment besoin de vous. Il s'est mis à dos les fermiers du coin, qui s'apprêtent à le pendre haut et court. A condition de faire vite, il vous reste une chance de le sauver !

Drizzt reprit sa bourse, pendue à la ceinture de Régis.

— Venez-vous avec nous ?

— Non, dit le dopplegänger, reproduisant à la perfection les inflexions de voix de Cadderly. D'autres affaires urgentes me réclament, et vous n'aurez pas besoin de moi.

Drizzt lui tendit sa bourse.

— Prends-en soin, Cadderly.

— Je serai de retour chez moi dans quelques minutes.

Ce commentaire fit tiquer le Drow.

Le prêtre ne venait-il pas d'affirmer qu'il lui fallait un jour pour lancer un sort de téléportation ?

— C'est un simple mot de pouvoir générique, précisa Rai'gy, soucieux de réparer sa gaffe. Il nous renverra là d'où nous venons, et nulle part ailleurs.

— Allons, l'elfe ! s'impatienta Bruenor. Mon fils attend !

— Vas-y, Drizzt, insista « Cadderly », poussant doucement le Drow vers ses compagnons. Il n'y a plus une minute à perdre.

Le Drow le sentait... Quelque chose clochait. Quoi ?

N'ayant pas le temps d'y réfléchir, il sauta de nouveau dans l'embarcation.

Tandis qu'elle s'éloignait de la rive, les deux « hommes » disparurent.

— Pourquoi cet idiot n'a-t-il pas au moins téléporté l'un de nous dans ce hameau ? grommela Bruenor.

— Pourquoi, en effet ? renchérit Drizzt, pensif.

Le lendemain à l'aube, l'*Affluent du Fond* accosta aux environs de Yoggerville.

Les quatre amis débarquèrent. L'équipage resterait à bord. Régis, Catti-Brie et Bruenor iraient parlementer tandis que le Drow explorerait les alentours.

Le trio fut accueilli avec de grands sourires.

Puis avec des mines perplexes quand il fut question de Wulfgar.

— Croyez-vous qu'on oublierait de sitôt un guerrier de cette carrure ? railla une vieille femme.

Déroutés, les trois amis se regardèrent.

— Donat s'est gouré de patelin..., maugréa Bruenor.

Drizzt ruminait de sombres pensées.

Si Wulfgar courait un si grand danger, pourquoi Cadderly ne s'était-il pas téléporté jusqu'à lui pour le secourir ? Ça ne collait pas ! Bien sûr, Régis aussi était dans de sales draps... Mais son associé aurait pu le guérir pendant que le prêtre volait à la rescousse du barbare...

Soudain, Drizzt mit le doigt sur ce qui le turlupinait. Comment Cadderly avait-il su pour Wulfgar, qu'il ne connaissait pas et dont il avait à peine entendu parler ?

Un heureux hasard ?

Difficile à gober...

Bah ! Une fois tiré des griffes des fermiers, Wulfgar pourrait éclaircir ces zones d'ombre.

L'elfe noir contourna le hameau.

Et vit une tour de cristal luisant au soleil.

CHAPITRE XXIII

L'ULTIME DÉFI

Pétrifié, Drizzt regarda une porte se découper sur le cristal et s'ouvrir.

Elle laissa passer un elfe noir au grand chapeau à plume, reconnaissable entre tous.

Le fils de Zaknafein ne fut pas aussi surpris qu'il aurait dû l'être.

— Salut, Drizzt Do'Urden ! lança Jarlaxle en commun. Entre, je t'en prie.

L'exilé posa une main sur la garde d'un de ses cimeterres. Il venait de renvoyer Guenhwyvar dans le plan astral... Il fit jouer les muscles de ses jambes. Grâce à ses bracelets magiques, il pourrait peut-être surprendre le mercenaire...

Folie ! Qui disait Jarlaxle disait Bregan D'aerthe.

Combien de Drows tenaient Drizzt en joue ?

— Je t'en prie, insista Jarlaxle. Nous avons à parler. Dans l'intérêt même de tes amis. Tant qu'ils se tiendront tranquilles, ils pourront repartir sains et saufs.

Drizzt connaissait assez l'énigmatique chef de Bregan D'aerthe pour se fier à lui jusqu'à un certain point.

Par le passé, Jarlaxle avait eu toutes les cartes en main. Un jour, il avait même tenu Drizzt et Catti-Brie à sa merci ! A l'époque, rapporter à Matrone Baenre la tête du rebelle lui eût pourtant été profitable.

Drizzt franchit la porte.

Suivant son hôte dans la tour magique, il fut submergé par les souvenirs. Ce n'était pas la première fois qu'il entrait dans une manifestation physique de Crenshinibon.

Il se promit de la détruire de nouveau.

Le mercenaire se cala sur un siège confortable, près d'un grand miroir en pied.

Drizzt soupira. Ce ne serait pas si facile, cette fois.

Jarlaxle était une des créatures les plus dangereuses que Drizzt ait croisées. Mais le mercenaire n'était ni casse-cou ni cruel.

Le fils de Zaknafein remarqua que ses jambes lui paraissaient plus lourdes. Le pouvoir magique de ses bracelets s'estompait.

— Je t'espionne depuis des jours, avoua Jarlaxle. Un de mes amis a besoin de tes services.

— Mes services ?

— Il devenait important que je vous réunisse.

— Et que tu me voles le cristal, par la même occasion.

— Non. Quand cette affaire a commencé, j'ignorais tout de Crenshinibon. L'avoir est un bonus appréciable. Mon objectif premier, c'était toi.

— Et Cadderly ? s'inquiéta Drizzt.

— Il est chez lui et ne se doute de rien.

— Promets-moi qu'il est sain et sauf !

— Il l'est. Quant à sauver ton ami Régis, tout le plaisir était pour nous...

Un instant dérouté, Drizzt commença à comprendre. Sans les manigances de Bregan D'aerthe, Régis serait mort...

— Je vois... Avec un simple sort de guérison, vous avez gagné notre confiance.

— Pas si « simple » que ça ! riposta le mercenaire. D'autant que nous aurions pu faire semblant de sauver le petit homme ! Mais rassure-toi, il se porte comme un charme.

— En ce cas, je te remercie. Tu comprends que je doive te reprendre Crenshinibon ?

— Je ne doute pas de ton courage. Mais je parie que tu n'auras pas la stupidité d'essayer.

— Pas maintenant, c'est certain.

— Pourquoi plus tard ? Si Crenshinibon sévit à Menzoberranzan, qu'en aurais-tu à faire ?

Une question embarrassante.

— L'ennui, répliqua Drizzt, c'est que Jarlaxle ne se contente pas d'Ombre-Terre. La preuve...

Le mercenaire ricana.

— Jarlaxle va où il a besoin d'aller. Mais réfléchis bien avant de tenter une folie. Qui d'autre que moi serait plus habilité à manipuler cet artefact ? Assez parlé de ça. Une vieille connaissance t'attend. Cet homme a des comptes à régler avec toi. J'aimerais qu'on en finisse, car j'ai besoin de lui.

De quoi parlait le mercenaire ?

Soudain, Drizzt se souvint d'Artémis Entreri.

— Ce n'était pas le bon hameau ! ronchonna Bruenor.

Les nains se regardèrent. Donat se gratta la tête.

— Mais si, forcément ! insista Bumpo. D'après la description de votre ami, en tout cas.

— Les habitants ont pu nous mentir, fit Régis.

— Alors ce sont tous d'excellents acteurs ! bougonna Catti-Brie.

— Retournons les interroger, dit Bruenor...

Peu après, un enfant courut vers le trio, de nouveau sur le chemin du hameau.

— Vous avez retrouvé le grand guerrier ?

— Non, répondit Catti-Brie. L'as-tu vu, mon garçon ?

— Il pourrait être dans la tour...

— Quelle tour ? demanda Bruenor.

— Là-bas...

Le gamin désigna une corniche, derrière le hameau. Des villageois l'escaladaient avec des cris de surprise.

Certains revinrent en courant.

Les trois compagnons avancèrent et... découvrirent la tour de Crenshinibon.

— Cadderly ? souffla Régis, incrédule.

— Ça m'étonnerait beaucoup, lâcha Catti-Brie.

— Artémis Entreri veut résoudre définitivement votre différend, confirma Jarlaxle.

— Et pourquoi devrais-je accéder à ses désirs ? répliqua Drizzt. Je n'ai nulle envie de le revoir, et encore moins de me battre avec lui ! Si son incapacité à m'affronter l'empêche de dormir, tant mieux !

— Ah, soupira Jarlaxle, amusé. Tu ne me déçois jamais. Ton absence d'orgueil est fort louable, mon ami. Je t'applaudis et souhaiterais vivement te libérer avec tes compagnons. Mais je n'ai pas le choix. Plie-toi de bonne grâce à ma requête. Sinon pour toi, au moins pour tes amis.

Drizzt réfléchit. Jarlaxle ne menaçait jamais en vain.

Le mercenaire leva une main ; le miroir s'obscurcit.

Puis une image se forma. Catti-Brie, Bruenor et Régis progressaient à couvert vers le pied de la tour.

— Je pourrais les tuer d'une pensée, dit Jarlaxle.

— Pourquoi le ferais-tu ? Tu m'as donné ta parole.

— Je l'honorerai. Tant que tu coopéreras.

— Et Wulfgar ?

Ce fut au tour de Jarlaxle de réfléchir.

— Je l'ai assez observé pour voir que sa situation présente bénéficie à mon entreprise.

— Où est-il ?

— Nous en reparlerons, éluda Jarlaxle. Sache que la magie n'a pas cours ici. Tes bracelets, tes cimeterres ou tes pouvoirs de Drow seront sans effet.

— Une merveilleuse facette de plus de Crenshinibon...

— Pas vraiment... Il fallait seulement que ce nouveau duel entre l'humain et toi soit tout à fait équitable.

Autant par curiosité que pour gagner du temps, Drizzt demanda :

— Le miroir est magique, non ?

— Il fait partie intégrante de la tour. Elle résiste aux efforts de mon sorcier, avide de vaincre ses défenses. Quel merveilleux cadeau, mon cher ! Je ne te remercierai jamais assez ! Crenshinibon m'a montré comment faire pousser d'autres tours et m'en servir à volonté.

— Tu sais que je ne peux pas le laisser entre tes mains, insista Drizzt.

— Et tu sais que je ne t'aurais pas invité ici si tu étais capable de me le reprendre.

Dans le miroir, les compagnons de Drizzt cherchaient une porte.

Catti-Brie découvrit des traces familières.

— *Drizzt est là !*

— *Pourvu que ce soit vraiment Cadderly...*, grogna Régis, nerveux.

D'un geste, Jarlaxle obscurcit le miroir.

— Va retrouver Entreri, Drizzt. Et satisfaire sa curiosité. Ensuite, tu reprendras ton chemin avec les tiens, et moi, j'irai sur le mien.

Drizzt dévisagea le mercenaire, qui soutint son regard.

Ils parvinrent à un accord tacite.

— Quelle que soit l'issue du duel ? demanda quand même Drizzt à voix haute.

— Tes amis repartiront d'ici sains et saufs. Avec ou sans toi.

Drizzt se tourna vers l'escalier. Artémis Entreri... Il n'aurait jamais voulu le revoir.

Il se leva. Après tout, il débarrasserait le monde d'une belle canaille !

— Guenhwyvar compte au nombre de mes amis, Jarlaxle.

— Vraiment..., fit le mercenaire.

— Je refuse de voir ma panthère entre les mains d'un tueur sans foi ni loi ! Ni entre les tiennes. Quoi qu'il advienne, elle devra être restituée à Catti-Brie ou à moi.

— Dommage... J'avais espéré que tu oublierais de l'inclure dans notre accord... J'aurais adoré avoir un familier comme elle !

Drizzt se redressa de toute sa taille.

— Mais tu ne me confierais pas un tel trésor, soupira le mercenaire. Non que je t'en veuille. J'ai un petit faible pour tout ce qui touche à la magie ! Alors, donne-leur toi-même ta précieuse figurine. Il te suffit de la lancer contre ce mur... Vas-y !

Au même instant, il réactiva le sort de clairevision du miroir.

Drizzt obéit ; la statuette traversa la paroi.

— Partez ! *Vite !* cria-t-il à ses amis, espérant être entendu.

Catti-Brie l'appela tandis que Régis se baissait pour ramasser la figurine surgie du néant.

Il invoqua aussitôt Guenhwyvar.

— Tu sais pertinemment qu'ils ne repartiront pas sans toi, Drizzt, dit Jarlaxle. Finissons-en. Tu as ma parole qu'aucun mal ne sera fait à tes *quatre* amis.

Drizzt étudia le mercenaire calé dans son fauteuil.

Comme s'il ne présentait pour lui aucune menace...

Le fils de Zaknafein caressa l'idée de bondir sur lui histoire de relever le défi...

Mais avec la vie de ses amis dans la balance, il ne pouvait courir ce risque.

Triomphant, Jarlaxle le savait très bien.

Drizzt gravit les marches.

Artémis Entreri arpentait la pièce, étudiant tous les recoins et toutes les estrades.

Jarlaxle n'avait pas choisi la simplicité ! Au dernier étage de la tour, il avait conçu une salle où la stratégie aurait le premier rôle. Au centre, une volée de marches menait à une estrade. Une autre estrade, plus longue, longeait le mur du fond. Deux plates-formes circulaires se dressaient près de la porte.

Comment utiliser au mieux ces éléments ?

Avec un adversaire aussi imprévisible que Drizzt Do'Urden, il était vrai que les meilleurs plans...

L'humain devrait improviser à chaque seconde et ne jamais perdre pied, ou c'en serait fini de lui... Il faudrait multiplier les acrobaties, anticiper, garder son sang-froid...

Entreri avait sa dague et son épée. C'était son type de combat privilégié. Pourquoi se munir de deux épées, face aux cimeterres du Drow, au risque de moins bien se battre ?

Il fit jouer ses muscles et s'étira longuement. Puis il se parla à voix basse, histoire de se calmer. L'essentiel était de ne jamais sous-estimer un ennemi comme Drizzt Do'Urden.

Entreri s'arrêta soudain, se surprenant lui-même.

D'où lui venait cette nervosité ? En tout cas, il vibrait d'excitation !

Pour la première fois depuis longtemps...

Un bruit le fit se retourner.

Drizzt Do'Urden se tenait sur le seuil.

— J'ai attendu cet instant de longues années, dit Entreri.

— Alors tu es encore plus stupide que je ne croyais ! siffla Drizzt.

Artémis bondit sur les marches centrales, armes dégainées.

L'elfe noir ne broncha pas. Il n'avait même pas sorti ses cimeterres.

— Et plus stupide encore si tu crois que je vais me battre avec toi.

Entreri ouvrit des yeux ronds. Puis il descendit les marches, épée pointée.

Drizzt resta les mains vides.

— Prends tes cimeterres !

— Pourquoi ? Pour amuser la galerie ? Histoire que Jarlaxle et sa clique nous regardent nous étriper ?

— En garde ou je t'embroche séance tenante ! rugit le tueur.

— Vraiment ?

Lentement, le Drow s'exécuta.

Puis il lâcha ses armes.

Entreri resta bouche bée.

— N'as-tu rien appris toutes ces années, humain ? Combien de fois te faudra-t-il y revenir ? Passerons-nous le reste de notre vie à nous poursuivre pour connaître le vainqueur d'un duel qui n'a aucune raison d'être ?

— Ramasse tes armes ! cria Entreri, pointant son épée vers le torse de l'elfe noir.

— Nous nous battrons, poursuivit Drizzt. L'un de nous l'emportera. L'autre survivra peut-être. Et tout sera à refaire. Parce que tu crois dur comme fer que tu as quelque chose à prouver.

— Ramasse ces saletés de cimeterres ! répéta Entreri, les dents serrées. Il n'y aura pas d'autre sommation ! L'un de nous doit mourir aujourd'hui !

Drizzt ne bougea pas.

— Je vais t'embrocher !

Le Drow sourit.

— Ça m'étonnerait. Artémis Entreri, je te connais mieux que tu n'imagines. Quel plaisir retirerais-tu de m'exécuter ainsi ? Tu passerais le reste de tes jours à te haïr. Ce que tu désires si ardemment, c'est la vérité. *Ta* vérité. La trouver justifiera ta misérable existence. Ou elle y mettra un terme.

Entreri gronda. Mais Drizzt avait raison. Il était incapable de mettre sa menace à exécution.

— Damné sois-tu !

Il remonta les marches et jura comme un charretier.

Drizzt ramassa ses armes.

— Entreri... Tu as réussi mon épreuve. A mon tour de passer la tienne !

— Allons-nous assister au duel ? s'enquit Rai'gy.

— Le spectacle vaudra le coup d'œil, assura Jarlaxle. Allons-y. Je rendrai la porte transparente.

Kimmuriel secoua la tête, impressionné malgré lui. Après une seule journée en compagnie de Crenshinibon, Jarlaxle avait appris tant de choses ! Il savait comment concevoir les tours de cristal à sa convenance, les transformant à l'occasion en instrument d'observation.

Comme maintenant.

Dans le miroir, Catti-Brie, Régis, Bruenor et la panthère noire jouaient toujours leur rôle.

— Nous allons assister au spectacle, répéta Jarlaxle. Et eux aussi...

Il ferma les yeux.

Les trois Drows quittèrent la salle.

Hébétés, Catti-Brie, Bruenor et Régis virent la tour se transformer. Un escalier apparut après qu'un pan de mur eut coulissé.

Les trois amis s'interrogèrent du regard.

Guenhwyvar s'élança, feulant à chaque bond.

La peur au ventre, ses compagnons la suivirent. Guenhwyvar s'arrêta et lacéra de ses griffes une paroi translucide.

Catti-Brie découvrit qu'un duel féroce avait lieu entre Drizzt et son ennemi juré.

Elle martela la paroi.

Bruenor abattit sa hache à plusieurs reprises.

En pure perte.

Catti-Brie tendit le bras en criant. A l'autre bout de la salle, elle venait d'apercevoir trois Drows...

Entreri avait manifestement appris la valeur de la patience... Et Drizzt brûlait d'en finir.

Il sauta sur l'estrade et se fendit, son cimeterre gauche brandi.

Entreri para sans peine le coup. Dans le même élan, il se mit de profil et attaqua.

Le second cimeterre de Drizzt para avant même qu'Entreri ait achevé le mouvement. L'elfe noir entra dans la danse.

L'humain lui rendait coup pour coup, sans jamais se laisser démonter.

Alors qu'Entreri profitait d'une petite ouverture, pointant sa dague vers le cœur du Drow avant qu'il puisse réagir, Drizzt fit la seule chose possible : il bondit et effectua un saut retourné pour se réceptionner derrière son ennemi.

Entreri fit volte-face et revint à la charge. Sa fureur força le Drow à reculer.

Les trois Drows qui avaient côtoyé toute leur vie des bretteurs émérites découvraient les subtilités du duel avec un émerveillement croissant.

Combattant d'instinct comme son adversaire, Drizzt venait de faire une série de sauts tenant de la haute voltige.

Il réussit à toucher Entreri au mollet, après avoir plongé sous l'estrade centrale pour surgir derrière lui.

L'humain avait beau avoir prévu le mouvement, il ne fut pas assez rapide pour éviter une coupure.

— Drizzt lui a tiré le premier sang..., commenta Kimmuriel.

Jarlaxle sourit. Suivant son regard, Kimmuriel aperçut les amis de l'exilé, de l'autre côté de la salle. Eux aussi étaient fascinés. L'admiration se lisait sur leurs visages pressés contre la paroi transparente.

Une admiration bien méritée, reconnut Kimmuriel, avant de tourner de nouveau son regard vers le duel.

Un ballet guerrier aussi beau que brutal.

Au gré des estocs, des feintes et des parades, chacun des duellistes avait réussi à infliger de petites coupures à l'autre. Mais rien de décisif...

Les minutes passaient. Drizzt et Entreri avaient le souffle court...

Malgré les entailles, le sang, la sueur et les muscles endoloris, les deux guerriers s'acharnaient. Aucun ne s'avouerait vaincu.

Drizzt écarta ses cimeterres pour mieux les ramener vers Entreri à la façon d'un loup qui referme ses mâchoires.

Le tueur leva les bras pour bloquer le mouvement. Drizzt en profita pour placer un coup de tête rusé.

Entreri riposta d'un crochet du droit.

Ils s'écartèrent vivement.

Entreri avait l'œil droit tuméfié ; l'elfe noir avait la joue et le nez en sang.

Artémis changea ses armes de main, passant la dague à gauche et l'épée à droite.

Drizzt n'était pas guerrier à négliger l'importance de ce détail. Il feinta à plusieurs reprises, sans succès.

L'elfe noir s'en fichait. Il était désormais fixé.

Jarlaxle comprit aussi. Le duel touchait à sa fin.

Quand Drizzt tendit un cimeterre vers la droite, Entreri dont l'œil droit était fermé riposta d'instinct avec sa dague.

Le Drow toucha son ennemi au poignet et le désarma.

Il lui pointa son autre cimeterre sur la gorge.

Entreri était à la merci de Drizzt.

Tremblant, le Drow se retint de justesse de plonger sa lame dans la gorge du tueur.

Il avait rarement été si près de perdre le contrôle de lui-même.

— Qu'avons-nous prouvé ? Parce que j'ai réussi à te faire un œil au beurre noir, je serais meilleur que toi ?

— Assez parlé ! grogna Entreri.

Drizzt lui tordit le bras, l'obligeant à lâcher sa dague.

— Pour tous ceux que tu as tués, et ceux que tu tueras encore, je devrais t'exécuter !

D'évidence, le Drow était incapable d'aller jusqu'au bout de sa menace. Et il le regrettait amèrement.

Il libéra soudain l'assassin.

— Jarlaxle, t'es-tu bien amusé ? cracha-t-il, en se tournant vers le mercenaire, qui rouvrait la porte.

Un cri de rage le fit pivoter, à l'instant où Entreri fonçait sur lui.

Son bras droit se leva d'instinct pour dévier la dague que le tueur venait de ramasser. De son bras gauche, Drizzt poignarda Entreri...

... Enfin, il aurait *dû* le poignarder.

La peau de l'humain sembla repousser l'acier.

Le corps vibrant d'énergie, Entreri réagit tout aussi instinctivement. Fort de l'avantage offert par Kimmuriel, il immobilisa Drizzt et lui rendit son coup avec une force égale.

Sa main *plongea* dans la poitrine du Drow, faisant jaillir un geyser de sang.

Drizzt s'effondra.

Le temps parut s'arrêter.

Guenhwyvar se jeta contre la paroi magique... pour rebondir aussitôt. Enragée, la panthère fit glisser ses griffes sur le matériau transparent.

Bruenor utilisa sa hache en pure perte...

Hébété, Régis resta sans réaction.

Catti-Brie ne pouvait pas détacher son regard de l'horrible spectacle. Le Drow qu'elle aimait tant perdait son sang.

Quand il s'écroula, le cœur de la jeune femme se brisa.

— Qu'ai-je fait ? s'écria Entreri d'une voix terrible. Jarlaxle, qu'as-tu fait ?

— Je t'ai offert ce que tu désirais le plus au monde : trouver ta vérité... Le vrai Artémis Entreri travaillera pour moi, à présent.

— Non ! rugit le tueur, s'efforçant en vain d'enrayer l'hémorragie. Pas comme ça !

Jarlaxle fit un signe à Kimmuriel, qui imposa à l'humain son emprise télékinétique.

Impuissant, Artémis lévita vers Obladra et flotta à sa suite quand il quitta la pièce. Ses cris et ses imprécations ne lui servirent pas.

Comme il aurait dû le prévoir, son duel contre Drizzt Do'Urden n'avait rien prouvé.

Sans l'intervention de Kimmuriel, il aurait perdu.

Pourtant, lui seul survivait.

Alors, pourquoi une telle colère ? Pourquoi aurait-il tout donné pour pouvoir égorger Jarlaxle ?

— Il s'est magnifiquement battu, remarqua Rai'gy, les yeux rivés sur le corps baignant dans une mare de sang. Je comprends maintenant pourquoi Dantrag Baenre a trouvé la mort quand il l'a affronté.

Jarlaxle hocha la tête.

— Drizzt Do'Urden est sans égal, Artémis Entreri excepté... Comprenez-vous maintenant les raisons de mon choix ?

— Sous sa peau blanche, c'est un drow comme nous.

Une explosion ébranla la tour.

— Catti-Brie et son merveilleux arc enchanté, soupira Jarlaxle.

A l'autre bout de la salle, les compagnons de Drizzt s'étaient éclipsés. Seule la panthère continuait de griffer en vain la paroi de cristal.

— Je devrais aller leur parler, ajouta le mercenaire, avant qu'ils fassent s'écrouler l'édifice sur nos têtes.

Il opacifia la paroi sur laquelle Guenhwyvar s'acharnait, jeta un dernier regard sur le cadavre puis quitta la salle.

ÉPILOGUE

— Il broie du noir, dit Kimmuriel en rejoignant Jarlaxle. Mais au moins, il ne parle plus de vous décapiter.

Le mercenaire, qui venait de vivre un des moments les plus exaltants de sa longue existence, gloussa.

— Il reviendra à la raison, et s'affranchira enfin de l'ombre de Drizzt Do'Urden. Bientôt, Artémis Entreri se confondra en remerciements...

— Il a cherché à mourir. Il s'est rué sur l'exilé, qui lui tournait le dos, mais en criant pour l'avertir. Selon vos ordres, je l'ai empêché de succomber.

— Si Entreri y tient tant, il trouvera d'autres occasions de prouver sa stupidité, fit Jarlaxle avec un haussement d'épaules. De toute façon, son utilité n'aura qu'un temps.

Les vêtements en lambeaux, Drizzt Do'Urden entra en étirant ses épaules et ses bras endoloris.

Il ne semblait pas plus mal en point que ça.

— Rai'gy devra prier Dame Lolth pendant cent ans pour rentrer dans ses bonnes grâces après avoir utilisé un de ses meilleurs sorts de guérison sur toi, Drizzt ! s'esclaffa Jarlaxle.

Il fit signe à Kimmuriel de quitter la salle.

— Puisse-t-elle le prendre à ses côtés, grommela Drizzt. Pourquoi m'as-tu sauvé la vie ?

— En échange de futurs services ?

— Oublie ça !

Une fois de plus, la réplique eut le don d'amuser Jarlaxle.

— L'orgueil n'a joué aucune part dans ton combat, n'est-ce pas ? (Ne comprenant pas où l'autre voulait en venir, Drizzt haussa les épaules.) Tu n'avais rien à prouver à Artémis Entreri... Je t'envie d'avoir su trouver une telle paix intérieure.

— Tu ne m'as pas répondu.

— Par respect, j'imagine... Après t'être si magnifiquement battu, j'ai estimé que tu ne méritais pas de mourir.

— Si ma prestation n'avait pas correspondu à tes critères d'excellence, j'aurais mérité ma fin, c'est ça ? Depuis quand Jarlaxle s'érige-t-il en juge ?

Le mercenaire sourit.

— Peut-être ai-je laissé mon sorcier intervenir par égard pour ton défunt père, Drizzt. (Le Drow ouvrit des yeux ronds.) Zaknafein et moi étions amis, si tant est que je puisse en avoir... Lui et moi n'étions pas si différents.

Drizzt ne cacha pas son scepticisme.

— Nous avions le talent de survivre à tout dans un environnement hostile à l'extrême, continua Jarlaxle. Et nous méprisions notre milieu sans trouver le courage de nous exiler.

— C'est chose faite pour toi, maintenant.

— Vraiment ? Je ne crois pas... En édifiant mon empire à Menzoberranzan, je m'y suis irrémédiablement enfermé. J'y mourrai. Sans doute sous les coups de mes associés. Pourquoi pas d'Entreri lui-même ?

Drizzt en doutait. Jarlaxle mourrait plutôt de vieillesse dans quelques siècles.

— Je respectais beaucoup Zaknafein. Et je crois que c'était mutuel.

Drizzt réfléchit. Jarlaxle était sincère. Malgré sa cruauté, le mercenaire obéissait à un authentique code de l'honneur. N'avait-il pas eu Catti-Brie à sa merci ? En dépit de ses menaces, il n'avait pas cherché à la souiller. Mieux : il avait permis à Drizzt, à la jeune femme et à Entreri de fuir Ombre-Terre alors qu'il lui eût été si facile de les passer au fil de l'épée et d'en tirer une gloire immense...

Voilà qu'il sauvait de nouveau Drizzt Do'Urden...

— L'humain ne t'importunera plus, promit Jarlaxle, tirant son interlocuteur de ses réflexions.

— C'est ce que j'ai déjà cru un jour.

— Cette fois, tu ne seras pas déçu. Artémis Entreri a eu ses réponses. Elles devront lui suffire.

Drizzt hocha la tête. Pourvu que Jarlaxle, si lucide et si fin analyste, ait raison !

— Tes amis t'attendent au hameau, continua le mercenaire. Les persuader d'y aller sans toi ne fut pas un mince exploit, crois-moi !

— Mais tu ne les as pas blessés ?

— Ne t'ai-je pas donné ma parole ? Il m'arrive de l'honorer, tu sais !

Drizzt ne put réprimer un sourire.

— Alors, me voilà deux fois ton obligé.

— Puis-je espérer quelques faveurs guerrières ?

— Oublie ça, répéta Drizzt avec lassitude.

— Laisse-moi au moins ta panthère ! taquina Jarlaxle. J'adorerais l'avoir à mes côtés !

Drizzt sourit.

— D'une façon ou d'une autre, je te reprendrai l'Eclat de Cristal. Tu devras constamment te tenir sur tes gardes. Vole ma panthère et je te tuerai !

Rai'gy, qui entrait à l'instant, haussa les sourcils. Puis il comprit que les deux Drows plaisantaient.

Drizzt n'avait aucune intention de récupérer Crenshinibon.

Et Jarlaxle, pas davantage celle de voler Guenhwyvar à son maître.

Tout était réglé entre eux deux.

Drizzt quitta la tour de cristal pour rejoindre ses amis, qui l'attendaient bien dans le hameau.

Après des accolades poignantes, ils laissèrent Yoggerville derrière eux.

Mais non sans retourner au préalable sur le site de la tour de cristal.

Qui avait disparu.

Envolés Crenshinibon, Jarlaxle, ses associés et Entreri.

— Bon débarras ! gronda Bruenor. Si cette tour maudite pouvait s'écrouler sur leurs crânes !

— Plus besoin de revoir Cadderly, dit Catti-Brie. Alors ?

— Wulfgar ? rappela Régis.

Drizzt réfléchit.

Il secoua la tête.

Il était trop tôt.

— Le monde entier nous ouvre les bras. Une direction sera aussi bonne qu'une autre.

— D'autant que nous avons le champ libre ! renchérit Catti-Brie. Plus de Crenshinibon pour attirer vers nous tous les monstres de la création !

— On va s'ennuyer, ma parole ! badina Bruenor.

A Calimport, Artémis Entreri était désormais le chef.

Mais pour l'heure, il repensait au tournant décisif de son existence.

Il croyait Drizzt Do'Urden mort.

Mort de sa main, même s'il n'avait pas vraiment triomphé.

Pourtant n'avait-il pas conclu les alliances les plus favorables ? Jarlaxle et Bregan D'aerthe, c'était tout de même autre chose qu'un nain, une femme et un petit homme !

Mais quelle importance, au demeurant ?

Pour la première fois depuis des mois, le tueur eut un sourire sincère.

Au *Cuivre Ante*, il gagna la chambre de Dondon sans que personne ne l'arrête ou lui jette un regard de travers.

Peu après, il en ressortit et croisa Dwahvel.

— Vous l'avez fait ? l'accusa-t-elle, les poings sur les hanches.

— C'était nécessaire.

Comme pour le défier de protester, Entreri essuya sa dague poisseuse sur le manteau d'un des gardes qui accompagnaient Dwahvel.

Nul ne broncha.

Puis il tourna les talons.

Sur le seuil de l'auberge, la voix presque plaintive de Dwahvel Tiggerwillies l'arrêta.

— Notre arrangement tient toujours ?

Avec un grand sourire, le chef de la maison Basadoni sortit.

Cette nuit-là, Wulfgar quitta Delly Curtie, comme toujours, bouteille à la main.

Sur la jetée, un nouvel ami l'attendait.

— Wulfgar, mon cher ! l'accueillit Morik le Rogue. Est-il quelque chose qu'ensemble nous ne puissions accomplir ?

Le barbare répondit par un pâle sourire. Ils étaient en effet les rois de la rue Demi-Lune. Les bonnes gens comme les canailles les saluaient avec déférence quand ils les croisaient. A Luskan, ils étaient bien les seuls devant qui la foule s'écartait.

Wulfgar leva sa bouteille et la vida d'un trait.

C'était plus fort que lui.

Achevé d'imprimer sur les presses de

BUSSIÈRE

GROUPE CPI

à Saint-Amand-Montrond (Cher)
en février 2001

FLEUVE NOIR
12, avenue d'Italie
75627 Paris Cedex 13
Tél. : 01-44-16-05-00

— N° d'imp. 10202. —
Dépôt légal : février 2000.

Imprimé en France